T5-AFX-018

Paulo Coelho

Schutzengel

Roman

Aus dem Brasilianischen von
Maralde Meyer-Minnemann

Diogenes

Titel der 1992 bei
Editora Rocco Ltda., Rio de Janeiro,
erschienenen Originalausgabe: ›As Valkírias‹

Paulo Coelho: www.paulocoelho.com
Umschlagfoto von Laurence Monneret

www.diogenes.ch
1200/11/44/1
ISBN 978 3 257 06767 5

Für den Namen, der am
12. Oktober 1988 in den Glorieta Canyon
geschrieben wurde.

Und siehe, des Herrn Engel
trat zu ihnen, und die Klarheit
des Herrn leuchtete um sie.

Lukas, 2:9

Prolog

J. und ich hatten uns am Strand von Copacabana zum Abendessen getroffen. Mit der Freude und Begeisterung eines Autors, der gerade sein zweites Buch veröffentlicht hatte, übergab ich ihm ein Exemplar von *Der Alchimist*. Ich sagte ihm dazu, dass das Buch als Dank für alles, was ich in den sechs vergangenen Jahren von ihm gelernt hatte, ihm gewidmet sei.

Zwei Tage später begleitete ich ihn zum Flughafen. Während wir warteten, dass sein Flug aufgerufen wurde, sagte er zu mir: »Alles, was einmal passiert, passiert möglicherweise nicht noch einmal. Falls es aber zweimal passiert, wird es bestimmt ein drittes Mal passieren.« Ich fragte, was er damit sagen wolle. Er erklärte mir, dass ich schon zwei Chancen, meinen Traum zu leben, ungenutzt hätte verstreichen lassen, und zitierte dann aus einem Gedicht von Oscar Wilde:

Doch jeder mordet, was er liebt,
sei jeder dess belehrt,
Mit schmeichelndem Wort, mit bittrem Blick,
nach jedes Art und Wert;
Der Feige mordet mit einem Kuss,
der Tapfre mit einem Schwert!

»Der Fluch muss gebrochen werden«, meinte J. und schlug mir vor, an einem einsamen Ort die »Geistlichen Übungen« des heiligen Ignatius von Loyola zu machen. Erfolg erfülle den Menschen mit Freude, löse aber zugleich Schuldgefühle aus. Die Übungen könnten mich auf das vorbereiten, was die Zukunft für mich bereithalte.

Als ich ihm daraufhin erzählte, es sei schon immer mein Traum gewesen, vierzig Tage in einer Wüste zu verbringen, schlug er mir vor, in die Mojave in den Vereinigten Staaten zu fahren, wo er jemanden kenne, der mir helfen könnte, das zu akzeptieren, was ich liebe – meine Arbeit.

Das Ergebnis dieser Erfahrung findet sich in diesem Buch. Die Ereignisse, von denen *Schutzengel* erzählt, haben sich zwischen dem 5. September und dem 17. Oktober 1988 zugetragen. Manchmal habe ich die Abfolge der Ereignisse ein wenig verändert und mich zweimal zum besseren Verständnis des Lesers der Mittel der Fiktion bedient, doch alle wesentlichen Fakten sind wahr. Der im Nachwort des Buches zitierte Brief ist im Notariat für Titel und Dokumente von Rio de Janeiro unter der Nummer 478038 hinterlegt.

Paulo Coelho

Sie waren jetzt schon sechs Stunden unterwegs. Zum hundertsten Mal fragte er seine Frau, die auf dem Beifahrersitz saß, ob dies auch wirklich der richtige Weg sei.

Zum hundertsten Mal schaute sie auf die Karte. Ja, es war der richtige Weg. Obwohl durch die grüne Landschaft ein schöner Bach floss und die Straße von Bäumen gesäumt war.

»Lass uns an einer Tankstelle anhalten und fragen«, schlug sie vor.

Schweigend fuhren sie weiter und hörten dabei einen Sender, der Oldies spielte. Chris wusste, dass es nicht notwendig war, an der Tankstelle zu halten, da sie auf dem richtigen Weg waren, auch wenn die Umgebung ganz anders aussah als erwartet. Aber sie kannte ihren Mann – Paulo war argwöhnisch, traute ihr nicht zu, die Karte richtig zu lesen. Er würde sich erst beruhigen, wenn sie jemanden fragten.

»Wir sind hier, damit du mit deinem Schutzengel redest«, sagte sie nach einer Weile. »Aber wie wäre es, wenn du einstweilen mit mir reden würdest?«

Er schwieg weiter, den Blick starr geradeaus auf die Straße gerichtet. ›Es bringt nichts, darauf zu bestehen‹, dachte sie. Wenn doch bloß schnell eine Tankstelle auftauchte! Sie waren direkt vom Flughafen von Los Angeles losgefahren –

und Chris hatte Angst, dass Paulo zu müde sein und am Steuer einschlafen könnte.

Und dieser bescheuerte Ort kam und kam nicht.

›Ich hätte einen Ingenieur heiraten sollen‹, sagte sie sich.

Sie würde sich nie daran gewöhnen können: Immer wieder ließ Paulo von einem Augenblick auf den anderen alles stehen und liegen, jagte hinter heiligen Wegen, Schwertern, Gesprächen mit Engeln her, tat alles nur Erdenkliche, um auf dem Weg der Magie weiterzukommen. ›Er hat schon immer diese Manie gehabt, alles stehen- und liegenzulassen, auch bevor er J. getroffen hat.‹

Sie erinnerte sich an den Tag, an dem sie beide zum ersten Mal miteinander ausgegangen waren. Sie waren gleich im Bett gelandet, und eine Woche später hatte sie ihr Reißbrett in seine Wohnung gebracht. Ihre gemeinsamen Freunde sagten, Paulo sei ein Hexer, und eines Nachts hatte Chris den Pastor der protestantischen Kirche angerufen, in die sie immer ging, um ihn zu bitten, für sie zu beten.

Im ersten Jahr hatte Paulo kein einziges Mal von Magie gesprochen. Er arbeitete in einer Schallplattenfirma, und das war es.

Im darauffolgenden Jahr verlief ihr Leben genauso. Dann kündigte er und wechselte zu einer anderen Schallplattenfirma.

Im dritten Jahr kündigte er erneut (seine Manie, alles aufzugeben) und beschloss, fürs Fernsehen zu schreiben. Sie fand das merkwürdig, jedes Jahr den Job zu wechseln – aber Paulo schrieb, verdiente damit Geld, und sie lebten gut.

Bis er am Ende des dritten Jahres auch den Job beim Fernsehen hinwarf. Er gab keine Erklärungen, sagte nur, er habe es satt, das zu tun, was er mache, es würde nichts bringen, immer wieder zu kündigen und irgendwo anders neu anzufangen. Er müsse herausfinden, was er wirklich wolle. Sie hatten etwas Geld angespart und beschlossen, durch die Welt zu reisen.

›In einem Wagen, genau wie jetzt‹, dachte Chris.

In Amsterdam hatten sie dann J. getroffen, als sie im Hotel Brouwer einen Kaffee tranken und auf die Singelgracht schauten. Paulo war ganz blass und nervös geworden. Schließlich hatte er Mut gefasst und war zum Tisch dieses großen, weißhaarigen Mannes im Anzug hinübergegangen. Am Abend, als sie beide wieder allein waren, hatte Paulo dann eine ganze Flasche Wein getrunken (er vertrug nicht viel und war immer gleich betrunken) und ihr gestanden, dass er sieben Jahre lang damit beschäftigt gewesen sei, Magie zu erlernen (was sie bereits wusste, da Freunde es ihr erzählt hatten). Aber er hatte es aus irgendeinem Grund (den er nie offenlegte, obwohl sie ihn mehrfach danach gefragt hatte) aufgegeben.

»Aber vor zwei Monaten habe ich im Konzentrationslager Dachau diesen Mann in einer Vision gesehen«, hatte er gesagt und damit J. gemeint.

Sie erinnerte sich an diesen Tag. Paulo hatte heftig geweint; angeblich hatte er einen Ruf vernommen, aber nicht gewusst, wie er ihm nachkommen solle.

»Soll ich zur Magie zurückkehren?«, hatte er sie gefragt.

»Das solltest du«, hatte sie darauf geantwortet, ganz sicher war sie sich allerdings nicht gewesen.

Seit der Begegnung mit J. hatte sich alles verändert. Es

hatte Rituale, Exerzitien, Übungen gegeben und lange Reisen mit J., bei denen das Datum der Rückkehr nie feststand. Es hatten intensive Begegnungen mit seltsamen Männern und mit hübschen Frauen stattgefunden, die eine ungeheure Sinnlichkeit ausstrahlten. Es hatte Herausforderungen und Probleme gegeben, lange, schlaflose Nächte und lange Wochenenden, an denen sie das Haus nicht verließen. Doch Paulo war zufriedener geworden, kündigte nicht mehr ständig. Sie hatten gemeinsam einen kleinen Verlag gegründet, und er hatte einen alten Traum verwirklicht – Bücher zu schreiben.

Endlich tauchte eine Tankstelle auf. Ein junges, indianisch aussehendes Mädchen kam heraus. Sie stiegen aus dem Wagen, um sich die Beine zu vertreten, während das junge Mädchen den Tank füllte.

Paulo nahm die Karte und verglich die Route. Sie befanden sich auf dem richtigen Weg.

›Jetzt entspannt er sich. Jetzt wird er mit mir reden‹, hoffte Chris.

»Hat dich J. hierhergeschickt, damit du hier deinen Engel findest?«, fragte sie ganz vorsichtig.

»Nein«, sagte er.

›Immerhin, er hat mir geantwortet‹, dachte Chris, während sie auf das satte Grün schaute, das von der untergehenden Sonne angestrahlt wurde. Hätte sie unterwegs nicht immer wieder auf die Karte geschaut, hätte sie selbst auch Zweifel gehabt, dass sie auf dem richtigen Weg waren. Es mussten noch etwa zehn Kilometer bis zu ihrem Ziel sein, aber die Szenerie schien ihnen zu sagen, dass sie noch sehr, sehr weit davon entfernt waren.

»J. hat mir nicht ausdrücklich gesagt, dass ich hierherfahren soll«, fuhr Paulo fort. »Er meinte, jeder andere Ort sei auch gut. Aber hier habe ich eine Kontaktperson, verstehst du?«

Natürlich verstand sie ihn. Paulo hatte immer Kontaktpersonen. Er sprach von diesen Menschen immer als von »Angehörigen der ›Tradition‹«. Doch Chris nannte sie in ihrem Tagebuch immer nur ›die Konspiration‹. Unter ihnen waren auch Hexen und Zauberer, die einem Alpträume verschaffen konnten.

»Jemand, der mit Engeln redet?«

»Ich bin mir nicht sicher. J. hat irgendwann ganz nebenbei einen Meister der Tradition erwähnt, der hier lebt und der weiß, wie man mit Engeln redet. Aber es könnte auch nur ein Gerücht sein.«

Vielleicht meinte er das ernst. Aber Chris wusste, dass er unter den vielen Orten, an denen er »Kontakte« hatte, willkürlich einen herausgepickt hatte. Einen Ort, an dem er weit weg vom Alltag war und sich besser auf »das Außergewöhnliche« konzentrieren konnte.

»Und wie wirst du mit einem Engel reden?«

»Das weiß ich nicht.«

›Eine merkwürdige Art zu leben‹, dachte Chris. Sie folgte ihrem Mann mit den Augen, als er zu dem indianischen Mädchen ging, um die Rechnung zu bezahlen. Er wusste nur, dass er mit Engeln reden musste, mehr nicht! Dafür ließ er, was er gerade machte, stehen und liegen, bestieg ein Flugzeug, flog die weite Strecke bis Los Angeles, fuhr danach sechs Stunden bis zu dieser Tankstelle, wappnete sich mit genügend Geduld, um vierzig Tage in der Gegend verbringen zu können – und das alles nur, um mit seinem Schutzengel zu reden oder es vielmehr zu versuchen.

Er lächelte ihr zu, sie lächelte zurück. So schlimm war es doch auch wieder nicht. Sie hatten ihren Alltagsärger, mussten Rechnungen bezahlen, Schecks ausstellen, aus reiner Höflichkeit Leute besuchen, Unangenehmes schlucken.

Aber dennoch glaubten sie an Engel.

»Wir werden es schaffen«, sagte sie.

»Danke für das ›wir‹«, antwortete er. »Aber der Magier hier bin ich.«

Das Mädchen von der Tankstelle hatte ihnen bestätigt, dass sie auf dem richtigen Weg waren. Zehn Minuten fuhren sie schweigend dahin, jetzt mit abgestelltem Radio. Es gab eine kleine Anhöhe, doch erst als sie hinaufgefahren waren und auf der anderen Seite ins Tal sahen, wurde ihnen klar, wie hoch ihr Aussichtspunkt lag. Sie waren die ganzen letzten Stunden, ohne es zu merken, stetig bergauf gefahren.

Aber sie waren angekommen.

Er hielt den Wagen am Straßenrand an und schaltete den Motor aus. Sie warf einen Blick zurück in die Richtung, aus der sie gekommen waren: ja, nichts als grüne Bäume, Pflanzen, üppige Vegetation.

Doch vor ihnen erstreckte sich bis zum Horizont die Mojave. Die riesige Wüste, die über fünf amerikanische Staaten und bis nach Mexiko reicht, die Wüste, die sie als Kind in so vielen Wildwestfilmen gesehen hatte, die Wüste, in der es Orte mit seltsamen Namen wie Regenbogenwald oder Tal des Todes gab.

›Sie ist rosa‹, dachte Chris, sprach es aber nicht aus. Paulo starrte auf die unendliche Weite, wer weiß, vielleicht versuchte er herauszufinden, wo die Engel wohnen.

Borrego Springs erwies sich als so klein, dass man vom Hauptplatz aus sehen konnte, wo es anfing und wo es aufhörte. Dennoch hatte der kleine Ort drei Hotels. Im Winter kamen Touristen hierher, um Sonne zu tanken.

Paulo und Chris ließen ihr Gepäck im Zimmer und aßen in einem Restaurant mit mexikanischer Küche zu Abend. Der junge Mann, der sie bediente, blieb lange in ihrer Nähe, um herauszubekommen, welche Sprache sie sprachen, und da er es nicht schaffte, fragte er sie schließlich. Als er erfuhr, dass sie aus Brasilien kamen, meinte er, er habe noch nie einen Brasilianer kennengelernt.

»Jetzt kennen Sie gleich zwei«, sagte Paulo lachend. ›Wahrscheinlich wird es am nächsten Tag der ganze Ort wissen‹, dachte er. In Borrego Springs gab es nicht viele Neuigkeiten.

Sie beendeten die Mahlzeit und schlenderten Hand in Hand durch die Außenbezirke des Ortes. Paulo wollte die Wüste betreten, die Wüste spüren, die Luft der Mojave einatmen. Und so stolperten sie schließlich über den mit Steinen und Felsbrocken übersäten Wüstenboden. Nach einer halben Stunde hielten sie an, drehten sich um und konnten im Osten die wenigen fernen Lichter von Borrego Springs sehen.

Dort in der Wüste war der Himmel besonders klar. Sie setzten sich auf den Boden, und als sie Sternschnuppen sahen, wünschte sich jeder von ihnen etwas anderes. Der Mond schien nicht, aber die Sterne funkelten.

»Hast du auch schon das Gefühl gehabt, dass in bestimmten Augenblicken deines Lebens jemand beobachtet, was du tust?«, fragte Paulo.

»Woher weißt du das?«

»Ich weiß es eben. Es sind Augenblicke, in denen wir, ohne dass uns dies bewusst wird, die Gegenwart von Engeln wahrnehmen.«

Chris erinnerte sich an ihre Jugend. Damals war dieses Gefühl sehr viel stärker gewesen.

»In solchen Augenblicken«, fuhr er fort, »beginnen wir, eine Art Film zu schaffen, in dem wir die Hauptdarsteller sind und in der Gewissheit agieren, dass jemand zuschaut.

Doch je älter wir werden, desto lächerlicher finden wir das. Wir kommen uns dabei vor wie ein Kind, das davon träumt, Filmschauspieler oder Filmschauspielerin zu werden. Und vergessen, dass in den Augenblicken, in denen wir für ein unsichtbares Publikum spielten, das Gefühl, beobachtet zu werden, sehr intensiv war.«

Er schwieg nachdenklich.

»Wenn ich in den Himmel schaue, kommt dieses Gefühl häufig zurück und mit ihm die Frage: Wer beobachtet uns?«

»Und wer beobachtet uns?«, fragte sie.

»Engel. Die Boten Gottes.«

Sie starrte in den Himmel. Sie wollte Paulo nur allzu gern glauben.

»Alle Religionen und auch alle Menschen, die ›das Außergewöhnliche‹ schon gesehen haben, sprechen von Engeln«, fuhr Paulo fort. »Das Universum ist von Engeln bevölkert. Sie sind es, die uns Hoffnung bringen, wie derjenige, der den Hirten die Geburt des Messias verkündet hat. Sie bringen auch den Tod, wie jener Würgeengel, der durch Ägypten zog und alle vernichtete, die kein Zeichen an ihrer Tür hatten. Sie sind es, die uns mit einem Feuerschwert in der Hand den Zutritt zum Paradies verwehren können. Oder uns hereinbitten können, wie ein Engel es mit Maria getan hat.

Die Engel öffnen die Siegel der verbotenen Bücher, sie blasen die Trompeten des Jüngsten Gerichts. Sie bringen das Licht wie Michael oder die Finsternis wie Luzifer.«

Chris fasste sich ein Herz und fragte:

»Haben sie Flügel?«

»Ich habe noch nie einen Engel gesehen«, antwortete Paulo. »Aber ich würde es auch gern wissen. Und habe J. gefragt.«

›Wie gut‹, dachte sie. Dann war sie also nicht die Einzige, die grundsätzliche Fragen zu Engeln hatte.

»J. hat gesagt, dass sie die Form annehmen, die wir uns vorstellen. Denn in ihnen hat Gottes Denken eine lebendige Form angenommen, und sie müssen sich unserem Wissen und unseren Vorstellungen anpassen. Ihnen ist klar, dass wir sie nicht sehen können, wenn sie es nicht tun.«

Paulo schloss die Augen.

»Stell dir deinen Engel vor, und du wirst in diesem Augenblick seine Gegenwart spüren«, sagte er.

Sie lagen in der Wüste und schwiegen. Sie hörten keinerlei Geräusch, und Chris fühlte sich wieder in den Film ihrer Jugendjahre zurückversetzt, in dem sie für ein unsichtbares

Publikum gespielt hatte. Je mehr sie sich darauf konzentrierte, umso sicherer war sie sich, dass etwas Starkes, Freundliches und Großzügiges gegenwärtig war. Sie begann, sich ihren Engel vorzustellen, schmückte ihn so, wie sie ihn auf den Bildern ihrer Kindheit gesehen hatte: blaues Gewand, goldenes Haar, riesige weiße Flügel.

Auch Paulo stellte sich seinen Engel vor. Er war schon sehr oft in die unsichtbare Welt, die ihn umgab, eingetaucht, darum war das alles für ihn nicht neu. Aber seit J. ihm diese Aufgabe gestellt hatte, spürte er, dass sein Engel sehr viel gegenwärtiger war – als würden die Engel sich nur von jenen bemerken lassen, die an ihre Existenz glaubten. Obwohl sie immer da waren, egal, ob die Menschen nun an sie glaubten oder nicht – Boten des Lebens, des Todes, der Hölle oder des Paradieses.

Er kleidete seinen Engel in einen langen, goldbestickten Umhang und gab ihm ebenfalls Flügel.

Ein Polizist nahm am Nebentisch sein Frühstück ein. Plötzlich sprach er sie an:

»Gehen Sie nicht wieder nachts in die Wüste«, sagte er.

›Der Ort ist tatsächlich sehr klein‹, dachte Chris. ›Hier erfährt jeder immer sofort alles.‹

»Nachts ist es am gefährlichsten«, fuhr der Polizist fort. »Da kommen die Koyoten und die Schlangen hervor. Sie ertragen die Hitze am Tag nicht und beginnen erst nach Sonnenuntergang zu jagen.«

»Wir haben dort unsere Engel gesucht«, meinte Paulo.

Der Polizist verstand ihn nicht. Der Satz, den der Mann gesagt hatte, ergab für ihn keinen Sinn: »Engel!« Bestimmt meinte der Fremde etwas ganz anderes.

Paulo und Chris beendeten schnell ihr Frühstück. Der »Kontakt« hatte ihr Treffen sehr früh angesetzt.

Chris war überrascht, als sie Took zum ersten Mal sah – er war ganz jung, kaum älter als zwanzig, und wohnte einige Kilometer außerhalb von Borrega Springs am Rande der Wüste in einem Wohnwagen.

»Und das soll ein Meister der ›Konspiration‹ sein?«, flüsterte sie Paulo zu, als der junge Mann in den Wohnwagen gestiegen war, um Eistee zu holen.

Took kam zurück, bevor Paulo eine Antwort geben konnte. Sie setzten sich unter eine Segeltuchplane, die am Fahrzeug entlanggespannt war und als eine Art Verandadach diente.

Die beiden Männer sprachen über die Rituale der Tempelritter, über Reinkarnation, Sufi-Magie und über die katholische Kirche in Lateinamerika. Der junge Mann schien sehr gebildet zu sein, und es machte Spaß, ihnen zuzuhören – sie wirkten wie Fans, die über ihre Lieblingssportart sprachen, bestimmte Taktiken verteidigten und andere kritisierten.

Sie redeten über alles. Nur nicht über Engel.

Die Sonne brannte immer heißer, sie tranken mehr Tee, während Took, der immer freundlich lächelte, Wunderbares über das Leben in der Wüste erzählte – obwohl er warnte, dass Anfänger nie nachts hinausgehen sollten (der Polizist hatte also recht gehabt). Sie sollten auch die heißesten Stunden des Tages meiden.

»Eine Wüste besteht aus Morgen und Nachmittagen«, erzählte er. »Die restliche Zeit ist gefährlich.«

Chris verfolgte das Gespräch über lange Zeit. Sie war sehr früh aufgewacht, die Sonne schien immer gleißender, und da beschloss sie, die Augen zu schließen und etwas zu schlafen.

Als Chris aufwachte, kamen die Stimmen nicht mehr aus derselben Richtung. Die beiden Männer hatten sich auf die Rückseite des Wohnwagens zurückgezogen.

»Warum hast du deine Frau mitgebracht?«, hörte sie Took leise fragen.

»Weil ich in die Wüste gekommen bin«, antwortete Paulo ebenfalls leise.

Took lachte.

»Dir entgeht das Beste an der Wüste. Die Einsamkeit.«

(›Was für ein anmaßender Kerl‹, dachte Chris.)

»Erzähl mir doch mehr von den Walküren«, sagte Paulo.

»Sie werden dir helfen, deinen Engel zu finden«, gab der Amerikaner zurück. »Sie haben es mich gelehrt. Aber die Walküren sind eifersüchtig und hart. Sie versuchen, dem Gesetz der Engel zu folgen – und, wie du weißt, gibt es im Reich der Engel weder das Gute noch das Böse.«

»Jedenfalls nicht so, wie wir es verstehen.«

Das war Paulos Stimme. Chris wusste nicht, was »Walküren« bedeutete. Sie erinnerte sich vage, den Namen irgendwann als Titel einer Oper gehört zu haben.

»War es schwer für dich, deinen Engel zu sehen?«

»Das richtige Wort dafür ist ›angsteinflößend‹. Es ist ganz plötzlich passiert, als die Walküren hier durchgekommen sind. Eigentlich habe ich das Verfahren nur gelernt, um mich zu zerstreuen, denn damals verstand ich die Sprache der Wüste noch nicht und fand alles sehr nervig. Mein Engel ist mir auf dem Berg dort drüben erschienen. Ich saß da, hörte Musik auf meinem Walkman. Damals beherrschte ich das ›zweite Bewusstsein‹ ganz und gar. Jetzt bin ich etwas zerstreuter.«

(Was zum Teufel war bloß das »zweite Bewusstsein«?)

»Hat dich das dein Vater gelehrt?«

»Nein. Und als ich ihn fragte, warum er mir nichts von Engeln erzählt habe, antwortete er mir, bestimmte Dinge seien so wichtig, dass wir sie allein entdecken müssten.«

Sie schwiegen eine Weile.

»Wenn du sie triffst, gibt es etwas, das den Kontakt erleichtert«, sagte der Junge.

»Was?«

Took lachte.

»Du wirst es sehen. Aber es wäre sehr viel besser gewesen, du wärst ohne deine Frau gekommen.«

»Hatte dein Engel Flügel?«, fragte Paulo.

Bevor Took antworten konnte, hatte sich Chris von ihrem Aluminiumstuhl erhoben, war um den Wohnwagen herumgegangen und hatte sich vor den beiden aufgebaut.

»Warum reitet er darauf herum, dass du besser allein gekommen wärst?«, fragte sie auf Portugiesisch. »Willst du, dass ich gehe?«

Took redete weiter mit Paulo und ignorierte Chris einfach. Sie wartete darauf, dass Paulo ihr antwortete, doch offenbar war sie auch für ihn unsichtbar geworden.

»Gib mir den Autoschlüssel!«, sagte sie entnervt.

»Was will deine Frau?«, fragte Took endlich.

»Sie will wissen, was das ›zweite Bewusstsein‹ ist.«

Der junge Mann erhob sich.

»Setz dich, schließ die Augen, und ich zeige es dir!«, sagte er.

»Ich bin nicht in die Wüste gekommen, um Magie zu lernen oder mit Engeln zu reden«, sagte Chris. »Eigentlich bin ich nur gekommen, um meinen Mann zu begleiten.«

Took lachte. »Setz dich!«, sagte er.

Sie sah zu Paulo hinüber, aber seine Miene verriet nicht, was er von Tooks Vorschlag hielt. ›Ich respektiere die Welt der Magie, aber meine ist es nicht‹, dachte sie. Obwohl alle

Freunde glaubten, sie teile die Anschauungen ihres Mannes, war das nicht der Fall. Sie redeten noch nicht einmal viel darüber. Chris begleitete Paulo zu bestimmten Orten, einmal hatte sie sogar sein zeremonielles Schwert transportiert, kannte den Jakobsweg* und hatte – aufgrund der Umstände – etwas über sexuelle Magie gelernt! Mehr aber nicht.

J. hatte nie den Vorschlag gemacht, sie etwas zu lehren.

»Was soll ich tun?«, fragte sie Paulo.

»Was du willst«, war seine Antwort.

›Ich liebe Paulo‹, dachte sie. Etwas über seine Welt zu lernen würde sie ihm sicher näherbringen. Sie ging zu dem Aluminiumstuhl, setzte sich darauf und schloss die Augen.

»Woran denkst du?«, fragte Took.

»Ich denke über das nach, worüber ihr gesprochen habt. Dass Paulo allein reisen sollte. Was das ›zweite Bewusstsein‹ wohl sein mag. Ob sein Engel Flügel hat. Und ob mich das überhaupt interessieren sollte. Ich glaube, ich habe bisher noch nie über Engel geredet.«

»Nein, nein. Ich möchte wissen, ob etwas anderes in deinem Kopf passiert, etwas, das du nicht kontrollieren kannst.«

Sie spürte, wie er seine Hände rechts und links an ihren Kopf legte.

»Entspanne dich, entspanne dich!« Sein Tonfall war jetzt sanfter. »Woran denkst du?«

Da gab es Töne. Und Stimmen. Erst jetzt bemerkte sie, was sie beschäftigte, obwohl es ihr seit fast einem Tag im Kopf herumging.

* Chris' Rolle bei Paulo Coelhos Pilgerreise ist in *Auf dem Jakobsweg* beschrieben.

»Ein Musikstück«, antwortete sie. »Ein Song, den ich gestern auf dem Weg hierher im Radio gehört habe, verfolgt mich unentwegt.«

Ja, tatsächlich summte sie die ganze Zeit diesen Song, konnte einfach nicht aufhören. Und jedes Mal, wenn sie am Ende angelangt war, fing sie wieder von vorn an.

Took bat sie, die Augen wieder zu öffnen.

»Das ist das ›zweite Bewusstsein‹«, sagte er. »Dein ›zweites Bewusstsein‹ singt diesen Song. Es könnte sich auch mit etwas anderem beschäftigen, mit irgendeiner Sorge beispielsweise. Falls du verliebt bist, wird diese Person in deinem Kopf sein. Oder jemand, den du vergessen möchtest. Das mit dem ›zweiten Bewusstsein‹ ist nicht einfach: es arbeitet unabhängig von deinem Willen.«

Er wandte sich lachend zu Paulo.

»Ein Musikstück! Genau wie bei uns. Bei uns ist ›das zweite Bewusstsein‹ auch immer voller Songs! Die Frauen sollten immer verliebt sein und keine Musikstücke im Kopf haben! Hast du nie einen geliebten Menschen im ›zweiten Bewusstsein‹ gefangen gehalten?«

Beide lachten laut.

»Das sind die schlimmsten Lieben, schreckliche Lieben!«, fuhr Took fort. »Du bist auf Reisen, versuchst zu vergessen, aber das ›zweite Bewusstsein‹ ist immer da und sagt: ›Das hätte er wunderbar gefunden.‹ – ›Verdammt, wie wäre es schön, wenn er jetzt hier wäre.‹«

Die beiden Männer krümmten sich vor Lachen. Chris überging ihren Heiterkeitsausbruch. Sie war überrascht, so etwas wie ein ›zweites Bewusstsein‹ war ihr bislang nie in den Sinn gekommen.

Dann besaß sie also zwei Arten von mentaler Kraft. Die gleichzeitig funktionierten.

Took stand jetzt neben ihr.

»Schließ die Augen!«, sagte er wieder. »Und versuch, dich an den Horizont zu erinnern, den du gerade gesehen hast!«

Sie versuchte, ihn sich vorzustellen.

»Ich schaffe es nicht«, sagte sie mit geschlossenen Augen. »Ich habe nicht genau hingeschaut. Ich weiß genau, was es um mich herum alles gibt, aber an den Horizont erinnere ich mich nicht.«

»Dann öffne die Augen, und sieh ihn dir an!«

Chris sah um sich. Da gab es Berge, Felsen, Steine, eine niedrige, karge Vegetation. Und eine Sonne, vor der die Sonnenbrille ihre Augen kaum mehr schützen konnte.

»Du bist hier«, sagte Took mit sehr ernster Stimme. »Versuch zu begreifen, dass du hier bist und die Dinge, die dich umgeben, dich verändern – genau so, wie du auch sie veränderst.«

Chris starrte in die Wüste.

»Um in die unsichtbare Welt einzudringen, die eigenen Kräfte zu entwickeln, musst du in der Gegenwart leben, im Hier und Jetzt. Um in der Gegenwart zu leben, musst du das ›zweite Bewusstsein‹ kontrollieren. Und zum Horizont schauen.«

Took bat sie, sich auf den Song zu konzentrieren, den sie unwillkürlich ständig summte. (Es war ›When I Fall in Love‹. Den ganzen Text kannte sie nicht, aber sie erfand eigene Worte oder sang einfach la-la-la.)

Chris konzentrierte sich. Kurz darauf war das Musikstück verschwunden. Sie selber war jetzt ganz wach und wartete gespannt darauf, was Took sagen würde

Aber Took hatte offenbar nichts mehr zu sagen.

»Ich muss jetzt etwas allein sein«, sagte er. »Kommt in zwei Tagen wieder.«

Sie zogen sich in ihr klimatisiertes Hotelzimmer zurück, denn sie hatten keine Lust, sich den fünfzig Grad Celsius am Mittag auszusetzen. Kein Buch, nichts Interessantes.

»Lass uns die Wüste kennenlernen«, schlug Paulo vor.

»Es ist sehr heiß. Took sagte, es ist gefährlich. Lass uns das morgen machen.«

Paulo antwortete nicht. Er versuchte, daraus, dass er in einem Hotelzimmer eingeschlossen war, eine Art Lehrstunde zu machen. Er versuchte allem, was in seinem Leben geschah, einen Sinn zu geben, und redete nur, um Spannungen abzubauen.

Aber man konnte nicht ständig allem einen Sinn geben und die ganze Zeit über wach und angespannt sein. Paulo entspannte sich nie, und sie fragte sich, wann er das alles satthaben würde.

»Wer ist dieser Took eigentlich?«

»Sein Vater ist ein mächtiger Magier, der die ›Tradition‹ in der Familie erhalten möchte – so wie Väter, die Ingenieure sind, möchten, dass der Sohn denselben Beruf ergreift.«

»Er ist jung, tut aber so, als wäre er ein reifer Mann«, meinte Chris. »Er vergeudet die besten Jahre seines Lebens in der Wüste.«

»Alles hat seinen Preis. Wenn Took dies alles hinter sich gebracht hat – und die ›Tradition‹ nicht aufgibt –, wird er der Erste in einer Reihe von jungen Meistern sein, die in einer Welt zu Hause sind, die die Alten, obwohl sie sie verstehen, nicht mehr erklären können.«

Paulo legte sich aufs Bett und blätterte in dem einzigen vorhandenen Buch: dem Mojave-Hotelführer. Er wollte seiner Frau nicht erzählen, dass Took neben den Gründen, die er aufgeführt hatte, noch aus einem anderen Grund hier war: Er war ein Mensch mit ungewöhnlichen übersinnlichen Kräften, der von der ›Tradition‹ darauf vorbereitet worden war, in dem Augenblick zu handeln, in dem sich die Pforten des Paradieses öffneten.

Chris wollte sich unterhalten. In einem Hotelzimmer festzusitzen vermittelte ihr ein Gefühl der Beklemmung, sie war entschlossen, nicht »allem einen Sinn zu geben«, wie ihr Mann es tat. Sie war nicht hier, weil sie einen Platz in einer Gemeinschaft von Erwählten einnehmen wollte.

»Ich verstehe nicht, was Took mir beibringen wollte«, sagte sie. »Die Einsamkeit und die Wüste können den Kontakt zur unsichtbaren Welt intensivieren, aber auch dazu führen, dass wir den Kontakt zu den anderen Menschen verlieren.«

»Er wird hier schon auch eine oder zwei Freundinnen haben«, meinte Paulo, der sich an eine Bemerkung seines Meisters zum Thema ›Magie und Frauen‹ erinnerte und das Gespräch hier abschließen wollte.

›Wenn ich noch weitere neununddreißig Tage mit Paulo hier zusammen eingeschlossen verbringen muss, bringe ich mich um‹, schwor sich Chris.

Am Nachmittag gingen sie in eine Snack-Bar auf der anderen Straßenseite. Paulo wählte einen Tisch am Fenster aus.

Sie bestellten sich riesige Eisbecher. Chris verbrachte ein paar Stunden damit, auf ihr ›zweites Bewusstsein‹ zu achten, und nach und nach gelang es ihr, es besser zu kontrollieren. Ihr Appetit allerdings entzog sich jeder Kontrolle.

»Ich möchte, dass du die Leute, die vorbeikommen, genau anschaust.«

Sie tat, worum Paulo sie gebeten hatte. In nicht ganz einer halben Stunde waren fünf Leute am Fenster vorbeigekommen.

»Was hast du gesehen?«

Sie beschrieb alle fünf Personen eingehend – Kleidung, geschätztes Alter, was sie mit sich trugen. Aber es schien nicht das zu sein, was er wissen wollte. Sosehr sich Chris auch bemühte, eine bessere Antwort zu finden, es gelang ihr nicht.

»Also gut«, sagte er schließlich. »Ich werde dir sagen, was ich wollte, dass es dir auffiel. Alle Leute, die hier vorbeigekommen sind, haben zu Boden geschaut.«

Sie warteten eine Weile, bis wieder jemand vorbeikam. Paulo hatte recht.

»Took hat dich gebeten, zum Horizont zu blicken. Tu es!«

»Was meinst du damit?«

»Wir alle schaffen um uns herum eine Art ›magischen Raum‹. Im Allgemeinen ist es ein Umkreis von fünf Metern Durchmesser – und wir achten auf alles, was darin ist. Egal ob es sich um Menschen, Tische, Telefone oder Schaufenster handelt: Wir versuchen, diese kleine Welt, die wir selber geschaffen haben, unter Kontrolle zu halten.

Die Magier hingegen blicken immer in die Ferne. Sie erweitern diesen ›magischen Raum‹ und versuchen sehr viel mehr Dinge zu kontrollieren. Sie nennen das ›zum Horizont blicken‹.«

»Und warum soll ich das machen?«

»Weil du hier bist. Du wirst sehen, wie sich die Dinge verändern.«

Als sie aus der Snack-Bar traten, achtete sie auf Dinge in der Ferne. Sie sah die Berge, die wenigen Wolken, die erst auftauchten, wenn die Sonne unterging, und ihr war so – und es war ein merkwürdiges Gefühl –, als sähe sie die Luft um sich herum.

»Alles, was Took gesagt hat, ist wichtig«, sagte er. »Er hat seinen Engel schon gesehen und mit ihm gesprochen, und er wird dich benutzen, um es mir beizubringen. Aber er kennt die Macht der Worte; er weiß, dass Ratschläge, die nicht gehört werden, wieder zu dem zurückkehren, der sie gegeben hat, und damit ihre Energie verlieren. Er muss sich sicher sein, dass du an dem interessiert bist, was er sagt.«

»Warum zeigt er es dir nicht direkt?«

»Es gibt eine ungeschriebene Regel innerhalb der ›Tradition‹: Ein Meister wird niemals einen Schüler eines anderen Meisters etwas lehren. Ich bin Schüler von J. –

Aber er will mir helfen. Deshalb hat er dich dazu erwählt.«

»Hast du mich deswegen mitgenommen?«

»Nein. Ich habe dich mitgenommen, weil ich Angst hatte, allein in der Wüste zu sein.«

›Er hätte doch sagen können, er täte es aus Liebe‹, dachte sie, während sie durch den Ort schlenderten. Das wäre die bessere Antwort gewesen.

Sie parkten den Wagen am Rand einer schmalen Straße aus gestampfter Erde. Took hatte sie angewiesen, immer zum Horizont zu schauen. Die zwei Tage waren vergangen, sie würden ihn am Abend treffen – und sie freute sich darauf.

Aber es war noch Morgen. Und die Tage in der Wüste waren lang.

Sie schaute zum Horizont: Bergzüge, die sich vor ein paar Millionen Jahren unvermittelt aufgetürmt hatten und in einer langen Kette quer durch die Wüste verliefen. Obwohl diese Erdbeben vor langer Zeit stattgefunden hatten, war heute noch zu sehen, wo die Erde aufgebrochen war – der ebene Boden stieg sanft bis zu den Bergen an, bis in einer bestimmten Höhe eine Art Wunde klaffte, aus der Felsen steil in den Himmel ragten.

Zwischen den Bergen und dem Wagen lag das steinige Tal mit niedriger Vegetation, Dornenbüschen, Yuccas, Kakteen – das Leben hielt sich trotzig in einem ihm feindlichen Umfeld. Inmitten der Ebene hob sich ein riesiger weißer Fleck ab, der so groß war wie fünf Fußballfelder. Er glitzerte in der Morgensonne wie ein Schneefeld.

»Salz. Ein Salzsee.«

Ja. Diese Wüste war sicher einst auch einmal ein Meer gewesen. Einmal im Jahr flogen die Möwen hundert Kilometer vom Pazifik bis hierher in die Wüste, wo sie eine Krabbenart fraßen, die mit dem Beginn der Regenzeit auftauchte. Der Mensch vergisst seine Ursprünge, die Natur niemals.

»Er muss etwa fünf Kilometer entfernt sein«, sagte Chris.

Paulo sah auf seine Uhr. Es war noch früh. Sie hatten zum Horizont gesehen, und der Horizont hatte ihnen einen Salzsee gezeigt. Eine Stunde hin, eine Stunde zurück, ohne dass sie Angst zu haben brauchten, dass die Sonne zu stark würde.

Beide hängten sich ihre Wasserflasche an den Gürtel. Paulo steckte Zigaretten und eine Bibel in eine kleine Tasche. Wenn sie bei dem See ankämen, würde er vorschlagen, gemeinsam einen zufällig ausgewählten Text zu lesen.

Sie machten sich auf den Weg. Chris behielt ihren Blick wenn immer möglich auf den Horizont gerichtet. Dabei passierte etwas sehr Merkwürdiges: Sie fühlte sich größer, freier, als hätte ihre Energie zugenommen. Zum ersten Mal seit vielen Jahren bereute sie, sich nicht mehr für Paulos ›Konspiration‹ interessiert zu haben. Sie hatte sich immer vorgestellt, dass es darin um schwierige Rituale ging, die nur geübte und disziplinierte Menschen durchführen konnten.

Sie gingen eine halbe Stunde lang, ohne sich zu beeilen. Der Salzsee schien seine Lage verändert zu haben. Er war immer gleich weit entfernt.

Sie gingen eine weitere Stunde. Sie hatten bestimmt schon fast sieben Kilometer zurückgelegt, aber der See war nur ein ganz kleines bisschen näher gekommen. Es war inzwischen schon spät am Morgen. Die Sonne brannte immer heißer.

Paulo blickte zurück. Der Wagen war immer noch zu sehen, ein winziger roter Fleck. Sie hatten sich also nicht verlaufen. Doch etwas viel Wichtigeres fiel ihm auf.

»Lass uns hier anhalten!«, bat er.

Sie verließen den Weg und gingen zu einem Felsen, der ein wenig Schatten gab. Sie mussten sich eng an ihn schmiegen, da die Sonne fast senkrecht stand. In der Wüste gab es nur früh am Morgen oder am Abend längere Schatten und auch nur bei den Felsen.

»Wir haben uns verrechnet«, sagte er.

Chris war das auch schon aufgefallen. Sie wunderte sich, da Paulo Entfernungen sonst immer richtig schätzte.

»Ich weiß, warum wir uns verrechnet haben«, fuhr er fort. »Weil in der Wüste uns nichts erlaubt, Vergleiche anzustellen. Wir sind es gewohnt, Entfernungen nach der Größe der Dinge zu berechnen. Wir kennen die ungefähre Höhe eines Baumes. Oder eines Lichtmastes. Oder eines Hauses. Das hilft uns abzuschätzen, wie weit die Dinge, die wir sehen, von uns entfernt sind.«

Hier hatten sie keine Vergleichsmöglichkeiten. Hier gab es Steine, die sie noch nie zuvor gesehen hatten, Berge, deren Höhe sie nicht kannten, und die niedrige Vegetation. Paulo war es erst aufgefallen, als er den Wagen sah, denn von seinem Wagen wusste er, wie groß er war. Und darum wusste er auch, dass sie schon mehr als sieben Kilometer gegangen sein mussten.

»Lass uns etwas ausruhen und dann umkehren.«

›Was soll's?‹, dachte sie. Sie betrachtete weiterhin fasziniert den Horizont. Es war eine vollkommen neue Erfahrung.

»Diese Geschichte mit dem Horizont, Paulo ...«

Er wartete darauf, dass sie weiterredete. Er wusste, dass sie Angst hatte, etwas Dummes zu sagen, irgendeine esoterische Bedeutung erfinden würde, wie das viele Menschen taten, die mit der ›Tradition‹ nicht vertraut waren.

»Mir ist so ... ich kann's nicht erklären ... als wäre meine Seele gewachsen.«

Ja, dachte Paulo. Sie war auf dem richtigen Weg.

»Wenn ich früher in die Ferne geschaut habe, war, was ich sah, wirklich weit weg, verstehst du? Es schien nicht zu meiner Welt zu gehören. Denn ich schaute sonst immer in die Nähe, auf die Dinge, die mich umgaben.

Bis ich vor zwei Tagen begonnen habe, zum Horizont zu schauen. Und begriffen habe, dass meine Welt neben Tischen, Stühlen, Gegenständen auch noch Berge, Wolken, Himmel enthält. Und meine Seele – meine Seele sieht und berührt all dies.«

›Verdammt! Das hat sie wirklich gut beschrieben‹, dachte Paulo.

»Meine Seele scheint gewachsen zu sein«, wiederholte Chris.

Paulo öffnete die Tasche, zog ein Päckchen Zigaretten hervor und zündete eine an.

»Jeder kann es sehen. Aber wir schauen nur in die Nähe, nach unten und nach innen. So nimmt unsere Kraft ab, und, um deine Worte zu benutzen, ›unsere Seele schrumpft‹.

Denn sie umfasst nichts außer uns selber. Sie umfasst keine Meere, Berge, anderen Menschen, nicht einmal die Wände der Häuser, in denen wir wohnen.«

Paulo gefiel der Satz, »meine Seele ist gewachsen«. Hätte

er mit einem Angehörigen der ›Tradition‹ gesprochen, hätte er sich mit Sicherheit komplizierte Erklärungen anhören müssen im Stil von »mein Bewusstsein hat sich erweitert« oder Ähnliches. Aber seine Frau hatte es sehr viel treffender gesagt.

Die Zigarette war aufgeraucht. Es war unsinnig, bis zum See zu gehen, die Temperatur würde bald fünfzig Grad im Schatten erreichen. Der Wagen war weit weg, aber dennoch gut sichtbar, und sie konnten ihn in anderthalb Stunden erreichen.

Sie machten sich auf den Rückweg. Sie waren von der Wüste umgeben, von dem unendlichen Horizont, und das Gefühl von Freiheit wuchs in ihren Seelen.

»Lass uns unsere Kleidung ausziehen!«, schlug er vor.

»Paulo. Jemand könnte uns sehen«, sagte Chris automatisch.

Paulo lachte. Sie konnten meilenweit in die Runde sehen. Am Vortag waren auf ihrem Morgen- wie auf ihrem Abendspaziergang jeweils nur drei Wagen vorbeigekommen, und sie hatten sie schon lange gehört, bevor sie neben ihnen aufgetaucht waren. Die Wüste war Sonne, Wind und Stille.

»Nur unsere Engel sehen uns«, antwortete er. »Und die haben uns schon oft nackt gesehen.«

Er zog seine Bermudas und das T-Shirt aus, legte den Gürtel mit der Wasserflasche ab und steckte alles in die Tasche, die er mitgebracht hatte.

Chris musste an sich halten, um nicht loszulachen. Sie zog sich auch aus, und kurz darauf gingen zwei Menschen in Turnschuhen, nur mit Hut und Sonnenbrille durch die Wüste – einer trug zusätzlich eine schwere Tasche. Bestimmt ein komischer Anblick für jemanden, der sie jetzt hätte sehen können.

Sie gingen eine halbe Stunde. Der Wagen war ein Punkt am Horizont, aber anders als der See wurde er immer größer, je mehr sie sich ihm näherten. Bald würden sie ihn erreichen.

Plötzlich fühlte sich Chris unendlich matt.

»Lass uns einen Augenblick ausruhen!«, bat sie.

Paulo blieb sofort stehen.

»Ich kann die Tasche nicht mehr tragen«, klagte er. »Ich bin müde.«

Wieso bloß konnte er die Tasche nicht mehr tragen? Mit den beiden Wasserflaschen konnte sie doch nicht mehr als drei Kilo wiegen.

»Du musst aber. Unser Wasser ist da drin.«

Ja, Chris hatte recht.

»Dann lass uns schnell gehen!«, sagte er verstimmt.

›Vor wenigen Minuten war alles noch so romantisch‹, dachte sie. Und jetzt war er schlecht gelaunt. Sie würde sich nicht darum kümmern. Sie war müde.

Sie gingen noch ein wenig weiter, aber sie wurden immer müder. Sie wollte nichts mehr sagen, ihn nicht noch mehr verärgern.

›So ein Trottel!‹, dachte sie. ›Inmitten all dieser Schönheit schlecht gelaunt sein, und das, nachdem wir über so interessante Dinge gesprochen haben wie …‹

Sie konnte sich nicht mehr daran erinnern, aber es war auch nicht wichtig. Jetzt war sie auch zu träge zum Denken.

Paulo blieb stehen und stellte die Tasche auf die Erde.

»Lass uns ein bisschen ausruhen!«, sagte er.

Er wirkte nicht mehr schlecht gelaunt. Auch er schien immer müder zu werden. Genau wie sie.

Es gab nirgendwo Schatten. Aber auch Chris musste sich ausruhen.

Sie setzten sich auf die heiße Erde. Dass sie nackt waren, dass der Sand ihnen die Haut verbrannte, war ihnen egal. Sie mussten ein wenig rasten. Nur ein bisschen.

Jetzt konnte sie sich wieder an das erinnern, worüber sie sich unterhalten hatten: Horizonte. Sie bemerkte, dass sie jetzt, ob sie wollte oder nicht, das Gefühl hatte, ihre Seele sei gewachsen. Außerdem hatte das ›zweite Bewusstsein‹ ganz aufgehört zu arbeiten. Sie dachte weder an den Song noch an andere, sich ständig wiederholende Dinge, sie dachte nicht einmal daran, dass jemand sie beobachten könnte, während sie nackt durch die Wüste wanderten.

Alles verlor an Bedeutung: Sie fühlte sich entspannt, sorglos, frei.

Sie schwiegen minutenlang. Es war heiß, aber die Hitze störte sie nicht. Und wenn doch, hatten sie ja noch genug Wasser in den Flaschen.

Paulo stand als Erster auf.

»Ich glaube, wir sollten etwas weitergehen. Es ist nicht mehr weit bis zum Wagen. Dort ruhen wir uns dann bei laufender Klimaanlage aus.«

Sie war müde. Sie wollte ein bisschen schlafen. Dennoch stand sie auf.

Sie gingen wieder ein Stück. Der Wagen war jetzt schon ziemlich nah. Nicht mehr als zehn Gehminuten entfernt.

»Wenn wir schon so nah sind, warum schlafen wir dann nicht ein bisschen? Nur fünf Minuten.«

Fünf Minuten schlafen? Warum sagte er das? Hatte er ihre Gedanken erraten? Und war er auch müde?

Was war schon schlimm daran, fünf Minuten zu schlafen? Sie würden braun werden, dachte sie. Als wären sie am Strand.

Sie setzten sich wieder hin. Sie waren, die Pausen nicht mitgezählt, mehr als eine Stunde gegangen. Was waren dagegen fünf Minuten schlafen?

Sie hörten das Motorengeräusch eines Wagens. Eine halbe Stunde früher wären sie dabei noch aufgeschreckt und hätten sich blitzschnell angezogen.

Aber jetzt war ihnen das vollkommen egal. Wer gucken wollte, sollte es tun. Sie brauchten sich vor niemandem zu rechtfertigen.

Chris wollte nur noch schlafen.

Sie sahen einen Lastwagen auf der Straße auftauchen, an ihrem Wagen vorbeifahren und ein Stück weiter anhalten. Ein Mann stieg aus und ging zu ihrem Auto. Schaute hinein, ging darum herum, schaute sich alles genau an.

›Das könnte ein Dieb sein‹, dachte Paulo. Er stellte sich vor, wie der Kerl den Wagen stahl und sie beide in der unendlichen Weite zurückließ, ohne eine Möglichkeit, wieder nach Borrego Springs zurückzukehren. Paulo hatte den Schlüssel im Zündschloss stecken lassen, aus Angst, ihn in der Wüste zu verlieren.

Aber sie waren im Landesinneren der Vereinigten Staaten. In New York, vielleicht – aber hier musste man keine Angst haben, dass einem das Auto geklaut wurde.

Chris betrachtete die Wüste. Wie golden alles war! Ganz anders als abends, wenn die Sonne die Wüste in ein rosiges

Licht tauchte. Ein wohliges Gefühl der Ruhe durchströmte ihren Körper. Die Sonne störte überhaupt nicht – die Leute hatten ja keine Ahnung, wie schön tagsüber die Wüste sein konnte!

Der Mann hatte aufgehört, den Wagen zu inspizieren, und legte die Hand über die Augen. Er hielt nach ihnen Ausschau.

Sie war nackt … das würde er am Ende sehen. Aber was machte das schon? Paulo schien es auch nicht besonders aufzuregen.

Der Mann kam jetzt in ihre Richtung. Das Gefühl von Leichtigkeit und Euphorie wurde immer größer, obwohl die Mattigkeit dazu führte, dass sie sich nicht von der Stelle rührten. Die Wüste war golden und schön. Und alles war ruhig, friedlich – die Engel, ja, die Engel würden sich bald zeigen! Deshalb waren sie in die Wüste gegangen – um mit den Engeln zu reden.

Chris war nackt, schämte sich aber nicht. Sie war ein freier Mensch.

Der Mann blieb vor ihnen stehen. Er sprach eine Sprache, die sie nicht verstanden.

Endlich merkte Paulo, dass der Mann tatsächlich englisch sprach. Sie befanden sich schließlich in den Vereinigten Staaten von Amerika.

»Kommen Sie mit mir!«, sagte er.

»Wir ruhen uns ein bisschen aus«, antwortete Paulo. »Fünf Minuten.«

Der Mann hob die Tasche auf und öffnete sie.

»Ziehen Sie das an«, sagte er zu Chris und reichte ihr ihre Wäsche.

Sie stand mühsam auf und gehorchte ihm. Sie war zu müde, um zu widersprechen.

Er befahl auch Paulo, sich anzuziehen. Paulo war ebenfalls zu müde, um zu widersprechen. Der Mann sah die beiden vollen Wasserflaschen, öffnete eine, füllte den kleinen Deckel und befahl ihnen zu trinken.

Sie hatten keinen Durst. Taten aber, was der Mann ihnen gesagt hatte. Sie waren sehr ruhig, in Frieden mit der Welt – ohne den geringsten Wunsch zu streiten.

Sie würden alles tun, jedem Befehl gehorchen, solange man sie in Frieden ließ.

»Lassen Sie uns ein wenig gehen«, sagte der Mann.

Sie konnten schon nicht mehr viel denken – nur die Wüste betrachten. Sie würden alles tun, solange dieser Fremde sie bald schlafen lassen würde.

Der Mann ging mit ihnen bis zum Wagen, befahl ihnen, sich hineinzusetzen und den Motor anzumachen. ›Wohin er uns wohl bringen wird?‹, überlegte Paulo, machte sich aber nicht ernstlich Sorgen – die Welt war in Frieden, und er wollte einfach nur ein bisschen schlafen.

Als er aufwachte, drehte sich ihm der Magen um. Ihm war sterbensübel.

»Bleiben Sie noch einen Augenblick lang ruhig liegen!«

Jemand redete mit ihm, aber in seinem Kopf herrschte ein Riesendurcheinander. Er erinnerte sich noch an das goldene Paradies, in dem nichts als Frieden und Ruhe herrschte.

Er versuchte, sich zu bewegen, und hatte das Gefühl, als würden sich Tausende von Nadeln in seinen Kopf bohren.

›Ich werde einfach weiterschlafen‹, dachte er. Aber es gelang ihm nicht – die Nadeln gaben keine Ruhe. Der Magen rumorte immer weiter.

»Ich muss mich übergeben«, sagte er noch.

Als er die Augen öffnete, sah er, dass er in einem kleinen Supermarkt zwischen Kühltruhen und Regalen mit Lebensmitteln auf dem Boden saß. Der Anblick verursachte ihm noch mehr Übelkeit. Dann bemerkte er neben sich einen Mann, den er noch nie gesehen hatte.

Der half ihm auf. Nun stellte Paulo fest, dass er neben den imaginären Nadeln im Kopf noch eine Nadel im Arm hatte. Die allerdings war echt.

Der Mann nahm den Infusionsbeutel, der an der Nadel hing, und begleitete Paulo zur Toilette. Dort erbrach Paulo ein bisschen Wasser, weiter nichts.

»Was ist los? Was bedeutet diese Nadel?«

Das war Chris' Stimme. Zurück im kleinen Supermarkt sah Paulo, dass sie ebenfalls eine Infusion bekam.

Paulo fühlte sich etwas besser. Er brauchte die Hilfe des Mannes nicht mehr.

Er half Chris auf und führte sie ins Bad, wo auch sie sich übergab.

»Ich werde Ihren Wagen nehmen, um meinen zu holen«, sagte der Fremde. »Ich lasse den Schlüssel stecken. Fahren Sie per Anhalter hin, sobald es Ihnen wieder bessergeht.«

Langsam erinnerte sich Paulo an das, was geschehen war, aber schon wurde ihm erneut übel, und er musste sich noch einmal übergeben.

Als er zurückkam, war der Mann gegangen. Da bemerkten sie, dass noch jemand da war – ein sechzehn- oder siebzehnjähriger Jugendlicher.

»Noch eine Stunde«, sagte er. »Dann ist die Infusion durchgelaufen, und Sie können gehen.«

»Wie viel Uhr ist es?«

Der junge Mann sagte es. Paulo bemühte sich, aufzustehen – er hatte eine Verabredung und wollte sie unbedingt einhalten.

»Ich muss Took sehen«, sagte er zu Chris.

»Setzen Sie sich«, sagte der junge Mann. »Erst wenn die Infusion durchgelaufen ist.«

Die Bemerkung war überflüssig. Paulo hatte weder die Kraft, noch brachte er den Willen auf, um bis zur Tür zu gehen.

›Das war's dann mit der Verabredung‹, dachte er. Aber das war jetzt unwichtig. Je weniger er nachdachte, desto besser.

Nur fünfzehn Minuten«, sagte Took. »Dann kommt der Tod, und du merkst es nicht einmal.«

Sie saßen wieder im alten Wohnwagen. Es war am nächsten Nachmittag, und wieder war ringsum alles in rosa Licht getaucht. Ganz anders als die Wüste am Vormittag zuvor, die ganz golden gewesen war – unendlicher Friede, Erbrechen und Übelkeit.

Seit vierundzwanzig Stunden hatten sie nichts zu sich nehmen oder schlafen können – sie erbrachen alles, was sie gegessen hatten. Aber das merkwürdige Gefühl ließ allmählich nach.

»Wie gut, dass sich euer Horizont geweitet hat«, sagte der junge Mann. »Und dass ihr an Engel gedacht habt. Es ist tatsächlich ein Engel gekommen.«

›Er hätte besser sagen sollen, dass unsere Seele gewachsen ist‹, dachte Paulo. Außerdem war der Mann, der erschienen war, kein Engel gewesen – er hatte einen alten Laster gehabt und englisch gesprochen.

»Lasst uns gehen«, sagte Took und bat Paulo, den Wagen zu starten.

Er setzte sich einfach auf den Beifahrersitz, während Chris, auf Portugiesisch fluchend, auf dem Rücksitz Platz nahm.

Took begann, Anweisungen zu geben: »Fahr hier längs,

da längs, fahr schnell, damit der Wagen genügend kühlt, mach die Klimaanlage aus, damit der Motor nicht heißläuft!« Immer wieder verließen sie die buckligen Sandpisten und fuhren in die Wüste hinein. Aber Took kannte sich aus, er machte keine Fehler wie sie.

»Was ist gestern passiert?«, fragte Chris zum hundertsten Mal. Sie spürte, dass Took wollte, dass sie fragte; obwohl er seinen Schutzengel gesehen hatte, verhielt er sich wie jeder junge Mann in seinem Alter.

»Sonnenstich«, sagte er schließlich. »Habt ihr noch nie einen Film über die Wüste gesehen?«

Selbstverständlich. Durstige Menschen, die sich auf der Suche nach ein wenig Wasser durch den Sand schleppen.

»Wir hatten keinen Durst. Die beiden Wasserflaschen waren voll.«

»Davon rede ich gar nicht«, fiel ihm Took ins Wort. »Ich meine die Kleidung.«

Die Kleidung! Die Araber mit ihren langen Gewändern, mehrere Umhänge – einer über dem anderen. ›Ja, wie konnten wir nur so dumm sein?‹, dachte Paulo. Dabei hatte er schon so viel darüber gehört, war schon in drei anderen Wüsten gewesen … und hatte noch nie den Wunsch gehabt, sich auszuziehen. Doch an jenem Morgen, als der See, zu dem sie unterwegs waren, einfach nicht näher kam … ›Wie konnte ich auf so eine alberne Idee kommen?‹, dachte Paulo.

»Nachdem ihr euch ausgezogen habt, ist das Wasser in eurem Körper sofort verdunstet. Wegen des vollkommen trockenen Klimas schwitzt man nicht einmal. Nach fünfzehn Minuten wart ihr bereits dehydriert. Man hat keinen Durst – man ist nur leicht orientierungslos.«

»Und die Erschöpfung?«

»Die Erschöpfung ist der nahende Tod.«

›Ich habe bemerkt, dass es der Tod war‹, sagte sich Chris. Wenn sie irgendwann einmal vor der Wahl stünde, wie sie auf sanfte Art diese Welt verlassen könnte, würde sie wieder nackt durch die Wüste gehen.

»Die meisten Leute, die in der Wüste sterben, tun es, obwohl ihre Wasserflaschen voll sind. Die Dehydrierung vollzieht sich so schnell, dass man sich fühlt, als hätte man eine ganze Flasche Whisky getrunken oder eine Überdosis Beruhigungsmittel genommen.«

Took bat sie, von nun an ständig Wasser zu trinken – auch wenn sie keinen Durst hatten, denn das Wasser musste im Körper bleiben.

»Aber es ist ein Engel erschienen«, sagte er.

Bevor Paulo noch sagen konnte, was er darüber dachte, bat ihn Took, in der Nähe eines Hügels anzuhalten.

»Wir steigen hier aus und gehen den Rest des Weges zu Fuß.«

Sie gingen einen Pfad entlang, der den Hügel hinaufführte. Sie waren erst wenige Minuten gegangen, als Took einfiel, dass er die Taschenlampe im Wagen vergessen hatte. Er ging zurück, um sie zu holen, und blieb dann eine Weile auf der Kühlerhaube sitzen und schaute in die Weite.

›Chris hat recht. Einsamkeit tut den Menschen nicht gut. Er verhält sich eigenartig‹, dachte Paulo, während er zu Took hinuntersah.

Kurz darauf war er wieder bei ihnen, und sie gingen weiter.

Nach vierzig Minuten hatten sie ohne größere Schwierigkeiten den Gipfel des Hügels erreicht. Hier wuchs eine karge Vegetation, und Took bat seine Begleiter, sich mit dem Gesicht nach Norden hinzusetzen. Er war jetzt weniger mitteilsam, sondern konzentriert und in sich gekehrt.

»Ihr seid auf der Suche nach Engeln hierhergekommen«, sagte er, während er sich neben sie setzte.

»Ich bin deswegen gekommen«, sagte Paulo. »Und ich weiß, dass du mit einem gesprochen hast.«

»Vergiss meinen Engel! Viele Leute hier in der Wüste haben schon mit ihrem Engel gesprochen oder ihn gesehen. Und auch viele Leute in den Städten, auf dem Meer und in den Bergen.«

Seine Stimme klang ungeduldig.

»Denk an *deinen* Schutzengel!«, fuhr er fort. »Denn *mein* Engel ist hier, und ich kann ihn sehen. Dies hier ist mein heiliger Ort.«

Paulo und Chris erinnerten sich beide an die erste Nacht in der Wüste. Und sie stellten sich wieder ihren Engel vor, mit seinem Gewand und seinen Flügeln.

»Ihr solltet immer einen heiligen Ort haben. Meiner war früher einmal eine kleine Wohnung, danach auch ein Platz in Los Angeles, und jetzt ist er hier. Ein geheiligter Winkel, in dem sich eine Tür zum Himmel öffnet und den Himmel zu uns hereinlässt.«

Die beiden betrachteten Tooks heiligen Ort: Felsen, harter Boden, niedrige Vegetation. Vielleicht waren hier nachts ein paar Schlangen und Koyoten unterwegs.

Took wirkte wie in Trance.

»Hier habe ich meinen Engel sehen können, obwohl ich wusste, dass er überall ist, dass sein Gesicht das Gesicht der Wüste ist, in der ich lebe, oder das der Stadt, in der ich achtzehn Jahre lang gelebt habe.

Ich habe mit meinem Engel gesprochen, weil ich an seine Existenz glaube. Weil ich die Hoffnung hatte, ihm zu begegnen. Und weil ich ihn liebte.«

Paulo und Chris wagten nicht zu fragen, worüber Took mit dem Engel geredet hatte.

Took fuhr fort:

»Jeder Mensch kann mit vier Arten von Wesen in der unsichtbaren Welt in Kontakt treten: den Elementargeistern, den körperlosen Geistern, den Heiligen und den Engeln.

Mit den Elementargeistern – denen des Feuers, der Erde, des Wassers und der Luft – nehmen wir über Rituale Kontakt auf. Weil wir dazu neigen, uns die reinen Kräfte der Natur – Erdbeben, Blitze, Vulkane – als Wesen vorzustellen, treten sie als Gnome, Sylphen, Salamander und Undinen in Erscheinung; doch der Mensch kann die Macht der Elementargeister nur nutzen. Er wird nie etwas von ihnen lernen.«

›Warum sagt er das?‹, fragte sich Paulo. ›Hat er etwa vergessen, dass ich auch ein Meister der Magie bin?‹

Took fuhr mit seiner Erklärung fort.

»Die körperlosen Geister sind jene, die sich zwischen dem einen und dem anderen Leben hin- und herbewegen, und wir treten über ein Medium mit ihnen in Kontakt. Einige sind große Meister – aber wir können hier auf Erden alles lernen, was sie uns lehren können, weil auch sie es hier gelernt haben. Wir sollten sie am besten ziehen lassen und unseren eigenen Horizont betrachten, um hier die Weisheit zu finden, die auch sie einst hier gefunden haben.«

›Paulo wird das alles bereits wissen‹, dachte Chris. ›Vermutlich erzählt Took das alles nur mir.‹

Ja, Took sprach zu dieser Frau – ihretwegen war er hier. Paulo konnte er nichts beibringen, denn der war zwanzig Jahre älter und erfahrener als er, und würde er nur einmal richtig nachdenken, würde er selber herausfinden, wie er mit seinem Engel sprechen konnte. Paulo war Schüler von J. – und was hatte Took nicht schon alles über J. gehört! Beim ersten Treffen hatte er versucht, Paulo zum Reden zu bringen, aber die Frau hatte alles durcheinandergebracht. Er bekam einfach nicht aus ihm heraus, welche Techniken, Verfahren und Rituale J. benutzte.

Diese erste Begegnung hatte ihn schwer enttäuscht. Er hatte Zweifel bekommen und gedacht, dass Paulo vielleicht gar nicht J.s Schüler war. Oder dass sich J. möglicherweise zum ersten Mal bei der Wahl eines Schülers geirrt hatte – und dass, wenn es so war, die ›Tradition‹ schon bald darüber im Bilde wäre. Dennoch hatte er in der Nacht nach ihrer ersten Begegnung von seinem Schutzengel geträumt.

Und sein Engel hatte ihn gebeten, die Frau in den Weg der Magie einzuführen. Nur einzuführen. Ihr Mann würde den Rest übernehmen.

Im Traum hatte er seinem Engel geantwortet, dass er ihr bereits beigebracht habe, was das ›zweite Bewusstsein‹ sei, und sie auch aufgefordert habe, zum Horizont zu blicken. Der Engel hatte erwidert, er solle auf den Mann achten, aber sich um die Frau kümmern. Und dann war er verschwunden.

Took hatte gelernt, sich diszipliniert zu verhalten. Jetzt tat er, worum sein Engel ihn gebeten hatte – und er hoffte, dass dies oben gesehen wurde.

»Nach den körperlosen Wesen«, nahm er seinen Faden wieder auf, »kommen die Heiligen. Sie sind die wahren Meister. Sie haben einst bei uns gelebt und sind jetzt im Licht. Die große Lehre der Heiligen ist ihr Leben hier auf Erden. Darin ist alles enthalten, was wir wissen müssen, es reicht, ihnen nachzueifern.«

»Und wie rufen wir die Heiligen an?«, fragte Chris.

»Durch das Gebet«, antwortete Paulo an Tooks Stelle. Er war nicht eifersüchtig – obwohl ihm klar war, dass der Amerikaner vor Chris glänzen wollte.

›Er achtet die ‚Tradition'‹, dachte er. ›Er wird meine Frau dazu benutzen, mich etwas zu lehren. Aber warum spricht er nur über so elementare Dinge, warum wiederholt er, was ich längst weiß?‹

»Wir rufen die Heiligen durch das ständige Gebet an«, fuhr Paulo fort. »Und wenn sie dann in der Nähe sind, verändert sich alles. Wunder geschehen.«

Took bemerkte den aggressiven Tonfall des Brasilianers. Aber er würde nichts über den Traum erzählen, in dem er mit seinem Engel gesprochen hatte, denn er war Paulo keine Erklärung schuldig.

»Und schließlich«, ergriff Took wieder das Wort, »gibt es die Engel.«

Vielleicht wusste der Brasilianer über dieses Thema nichts, obwohl er über die anderen einiges zu wissen schien. Took machte eine lange Pause. Schwieg, betete leise, dachte an seinen Engel und hoffte, dass dieser jedes Wort mitbekam. Und er bat seinen Engel auch, ihm zu helfen, alles ganz klar und deutlich sagen zu können, denn es war so schwierig, das zu erklären.

»Engel sind tätige Liebe. Die nie stillsteht, die kämpft, um zu wachsen, die jenseits von Gut und Böse ist. Die alles verschlingende, alles zerstörende, alles verzeihende Liebe. Die Engel sind aus dieser Liebe gemacht, und sie sind zugleich deren Boten.

Die Liebe des Todesengels, der eines Tages unsere Seele mitnehmen wird, und die des Schutzengels, der sie wieder zurückbringt. Tätige Liebe.«

»Liebe im Kriegszustand«, sagte sie.

»Es gibt keine Liebe in Frieden. Wer in der Liebe Frieden sucht, ist verloren.«

›Was versteht so ein junger Kerl schon von der Liebe?‹, dachte Chris. ›Er lebt allein in der Wüste und ist möglicherweise noch nie verliebt gewesen.‹ Dennoch konnte sie sich, sosehr sie sich auch bemühte, an keinen einzigen Augenblick erinnern, in dem Liebe ihr Frieden gebracht hatte. Sie war immer mit Schmerzen, Ekstasen, intensiver Freude und tiefer Trauer verbunden gewesen.

Took wandte sich an beide:

»Lasst uns eine Weile schweigen, damit unsere Engel die Liebe hinter unserem Schweigen hören.«

Chris dachte weiter über die Liebe nach. Ja, der junge Mann schien recht zu haben, obwohl sie hätte schwören mögen, dass er das alles nur theoretisch wusste.

›Die Liebe gibt nur Ruhe, kurz bevor sie stirbt. Wie eigenartig.‹ Wie eigenartig war das alles, was sie da gerade erlebte, vor allem dieses Gefühl, dass »ihre Seele gewachsen« war.

Sie hatte Paulo nie gebeten, ihr etwas beizubringen – sie glaubte an Gott, und das reichte. Sie respektierte die Suche ihres Mannes, aber möglicherweise – weil er ihr so nahestand oder weil sie wusste, dass er Fehler hatte wie alle anderen Menschen auch – hatte sie sich nie dafür interessiert.

Bei Took aber war das anders. Er hatte gesagt: »Versuche, zum Horizont zu blicken! Achte auf dein ›zweites Bewusstsein‹!« Und sie hatte gehorcht. Jetzt, da ihre Seele gewachsen war, hatte sie herausgefunden, wie gut diese Suche war und wie viel Zeit sie vergeudet hatte.

»Warum müssen wir mit unseren Engeln sprechen?«, fragte Chris in die Stille hinein.

»Damit wir mit ihnen die Welt entdecken.«

Took störte ihre Frage nicht. Wenn sie sie jedoch Paulo gestellt hätte, wäre er verärgert gewesen.

Sie beteten ein Vaterunser und ein Ave-Maria. Dann sagte der Amerikaner, sie könnten wieder hinuntersteigen.

»War's das schon?« Paulo war enttäuscht.

»Ich wollte euch hierherbringen, damit mein Engel sieht, dass ich getan habe, was er mir befohlen hat«, antwortete Took. »Mehr kann ich euch nicht beibringen. Wenn ihr noch mehr wissen wollt, dann fragt die Walküren.«

Die Rückfahrt verlief unter bedrücktem Schweigen – das nur von den Anweisungen Tooks – »links, rechts« – unterbrochen wurde. Keiner wollte reden – Paulo, weil er fand, dass Took ihn hereingelegt habe; Chris, weil sie fürchtete, Paulo könnte wegen ihrer Bemerkungen verärgert sein und finden, sie würde alles kaputtmachen; und Took, weil er wusste, dass der Brasilianer enttäuscht war und deshalb nicht über J. und dessen Techniken sprechen würde.

»Du weißt, dass du dich in einem Punkt geirrt hast«, sagte Paulo, als sie beim Wohnwagen angelangt waren. »Wir haben gestern keinen Engel getroffen. Es war ein Typ mit einem Lastwagen.«

Für den Bruchteil einer Sekunde glaubte Chris, dass es auf diesen Satz keine Antwort geben würde – die Feindseligkeit zwischen den beiden wurde immer spürbarer. Der Amerikaner ging auf sein »Haus« zu, wandte sich dann aber plötzlich um.

»Ich werde dir eine Geschichte erzählen, die mein Vater mir erzählt hat«, sagte er. »Ein Meister und sein Schüler wanderten durch die Wüste, und der Meister lehrte ihn, dass sie immer auf Gott vertrauen könnten, denn Er werde sich um alles kümmern.

Als die Nacht hereinbrach, schlugen sie ein Lager auf.

Der Meister baute das Zelt auf, und der Schüler sollte die Pferde an einem Felsen festbinden. Doch als er beim Felsen ankam, dachte er sich:

›Der Meister will mich auf die Probe stellen. Er sagt, Gott würde sich um alles kümmern, und nun bittet er mich, die Pferde festzubinden. Er will sehen, ob ich Gott vertraue oder nicht.‹

Und anstatt die Tiere festzubinden, sprach er ein langes Gebet und übertrug Gott die Wache.

Als sie am nächsten Tag aufwachten, waren die Pferde verschwunden. Enttäuscht beklagte sich der Schüler beim Meister und sagte ihm, er vertraue Gott nicht mehr, denn der kümmere sich nicht um alles, er hätte vergessen, auf die Pferde aufzupassen.

›Du irrst‹, antwortete der Meister. ›Gott hätte sich gern um die Pferde gekümmert, aber er brauchte in diesem Augenblick deine Hände, um sie festzubinden.‹«

Took zündete eine kleine Gaslampe an, die draußen am Wohnwagen hing. Das Licht überstrahlte den Glanz der Sterne in seiner Umgebung.

»Wenn wir beginnen, an unsere Engel zu denken, beginnen sie, sich zu offenbaren. Ihre Gegenwart wird immer deutlicher, lebendiger. Nur zeigen sie sich so, wie sie es schon immer getan haben, zuerst einmal durch andere Lebewesen.

Dein Engel hat diesen Mann benutzt. Er wird ihn früh aus dem Haus geschickt, irgendetwas in seiner täglichen Routine geändert, alles so eingerichtet haben, dass er genau in dem Augenblick, als ihr ihn brauchtet, zur Stelle war. Das war ein

Wunder. Versuch nicht, daraus ein ganz gewöhnliches Ereignis zu machen!«

Paulo hörte schweigend zu.

»Als wir den Hügel hinaufsteigen wollten, habe ich die Taschenlampe vergessen«, fuhr Took fort. »Du wirst gemerkt haben, dass ich eine ganze Weile beim Auto geblieben bin. Immer wenn ich etwas vergesse, wenn ich aus dem Haus gehe, spüre ich, dass mein Schutzengel aktiv wird. Er bringt mich dazu, mich um ein paar Sekunden zu verspäten – und dieses bisschen Zeit kann etwas sehr Wichtiges bedeuten. Es kann mich vor einem Unfall schützen oder dazu führen, dass ich jemandem begegne, den ich brauche.

Darum setze ich mich immer kurz hin, nachdem ich das geholt habe, was ich vergessen hatte, und zähle bis zwanzig. So hat mein Engel Zeit zu handeln. Ein Engel benutzt viele Werkzeuge.«

Der Amerikaner bat Paulo, kurz zu warten. Er stieg in den Wohnwagen und kam mit einer Landkarte zurück.

»Ich habe die Walküren zuletzt hier gesehen.«

Er zeigte auf einen Punkt auf der Karte. Chris fiel auf, dass die Feindseligkeit zwischen den beiden nachgelassen hatte.

»Pass gut auf Chris auf!«, sagte Took. »Es ist gut, dass sie mitgekommen ist.«

»Das finde ich auch«, antwortete Paulo. »Vielen Dank für alles.«

Und sie verabschiedeten sich.

»Was war ich bloß für ein Esel!«, sagte Paulo, sobald sie sich etwas entfernt hatten, und hieb mit der Faust aufs Lenkrad.

»Esel? Und ich dachte schon, du wärst eifersüchtig.«

Aber Paulo lachte gut gelaunt.

»Vier Wege! Und er hat nur drei erwähnt! Über den vierten Weg spricht man mit dem Engel!«

Er wandte sich an Chris. Seine Augen strahlten vor Freude.

»Der vierte Weg ist das Channeling!«

Fast zehn Tage in der Wüste. An einer bestimmten Stelle machten sie halt. Als hätten sich vor Urzeiten Dutzende Flüsse tief ins Erdreich hineingefressen, war dort der Boden von Schluchten, sogenannten *arroyos*, durchzogen, die von den Auswirkungen der Sonne allmählich verbreitert wurden.

Dort gab es weder Skorpione noch Schlangen, noch Koyoten, nicht einmal niedrigen Pflanzenbewuchs. In der Wüste gab es viele dieser sogenannten *badlands*.

Sie traten in eine dieser Schluchten und konnten zwischen meterhohen Erdwänden nur einen gewundenen, scheinbar endlosen Weg sehen.

Sie waren nicht mehr diese zwei leichtfertigen Abenteurer, die glaubten, ihnen könnte nichts Schlimmes geschehen. Die Wüste hatte ihre eigenen Gesetze und tötete diejenigen, die sie missachteten. Sie wussten nun, wann es draußen in der Wüste ungefährlich war, sie konnten die Spuren der Klapperschlangen erkennen, wussten, wann sie welche Sicherheitsmaßnahmen treffen mussten. Entsprechend hatten sie, bevor sie sich in die *badlands* begaben, einen Zettel hinter der Windschutzscheibe des Wagens zurückgelassen, auf dem stand, wohin sie gegangen waren. Auch wenn es nur für eine halbe Stunde war und es überflüssig, ja sogar lächerlich zu sein schien, könnte, wenn doch etwas passierte, jemand, der mit seinem Wagen anhielt, den Zettel lesen und wissen, in welche Richtung sie gegangen waren. Künftig mussten sie den Werkzeugen ihrer Schutzengel die Arbeit erleichtern.

Sie suchten nach den ›Walküren‹. Nicht dort, am Ende der Welt – denn nichts und niemand konnte lange in den *badlands* überleben. Sie waren jetzt nur wegen einer Übung hier. Für Chris.

Aber die ›Walküren‹ waren irgendwo in der Nähe, dafür gab es Anhaltspunkte. Sie hinterließen Spuren. Sie lebten in der Wüste, sie blieben nie an einem Ort, aber sie hinterließen Spuren.

Paulo und Chris hatten einige Hinweise sammeln können. Anfangs waren sie von einem Ort zum anderen gefahren und hatten nach den ›Walküren‹ gefragt, aber niemand hatte je von ihnen gehört. In dem Ort, den Took ihnen auf der Karte gezeigt hatte, waren sie offenbar längst nicht mehr. Dann, plötzlich, hatten sie eines Tages in einem Café einen jungen Mann getroffen, der sich daran erinnerte, etwas über sie gelesen zu haben. Und er hatte ihnen ihre Kleidung und die Spuren beschrieben, die sie hinterließen.

Paulo und Chris fragten seither nach Frauen, die solche Kleidung trugen. Und immer machten die Befragten verächtliche Gesichter und sagten, diese Frauen seien vor einem Monat, vor einer Woche, vor drei Tagen bereits durchgezogen.

Nun waren Paulo und Chris nur noch eine Tagesreise von dem Ort entfernt, an dem sich ›die Walküren‹ möglicherweise aufhielten.

Die Sonne näherte sich bereits dem Horizont – sonst hätten sie sich nicht in die Wüste gewagt. Die Wände aus Erde warfen schon Schatten. Der Ort war perfekt. Chris hatte es satt, wieder und wieder dieselbe Übung zu machen. Aber es blieb ihr nichts anderes übrig. Denn sie hatte bisher keine großen Fortschritte gemacht.

»Setz dich hierhin! Mit dem Rücken nach Süden!«

Sie tat, was Paulo sagte. Und begann, sich plötzlich unwillkürlich zu entspannen. Sie saß im Schneidersitz, hielt die Augen geschlossen – aber sie konnte die ganze Wüste um sich herum wahrnehmen. Ihre Seele war in den vergangenen Tagen gewachsen, sie wusste nun, dass die Welt sehr viel mehr enthielt, als sie noch vor zwei Wochen geahnt hatte.

»Konzentriere dich auf dein ›zweites Bewusstsein‹!«, sagte Paulo.

Chris spürte eine gewisse Gehemmtheit in seiner Stimme. Er konnte sich ihr gegenüber nicht so wie bei seinen Schülern verhalten – schließlich kannte sie seine Fehler und Schwächen. Aber Paulo gab sich große Mühe, wie ein Meister zu handeln, und sie bewunderte ihn dafür.

Sie konzentrierte sich auf ihr ›zweites Bewusstsein‹. Sie ließ die Gedanken frei schweifen – und wie immer waren es absurde Gedanken für jemanden, der sich mitten in der Wüste aufhielt. Seit drei Tagen bemerkte sie, wenn sie mit der Übung begonnen hatte, dass sich ihr Denken unwillkürlich um die Frage drehte, wen sie in drei Wochen zu ihrem Geburtstag einladen sollte.

Paulo hatte sie gebeten, das nicht zu bewerten. Sie solle einfach ihre Gedanken frei fließen lassen.

»Wir fangen noch einmal von vorn an«, sagte er.

»Ich denke bloß noch an meine Party!«

»Kämpfe nicht gegen deine Gedanken an, sie sind stärker als du«, sagte Paulo zum tausendsten Mal. »Wenn du dich von ihnen befreien willst, akzeptiere sie! Denk, was dein ›zweites Bewusstsein‹ dir aufgibt zu denken, irgendwann ist es erschöpft.«

Sie stellte in Gedanken eine Gästeliste auf. Strich einige Personen und setzte andere darauf. Das war der erste Schritt: dem ›zweiten Bewusstsein‹ Aufmerksamkeit zu schenken, bis es müde wurde.

Die Geburtstagsparty verschwand diesmal schon schneller aus ihrem Kopf. Dennoch stellte Chris immer wieder die Gästeliste auf. Es war unglaublich, wie diese Lappalie sie tagelang derart in Beschlag nehmen und stundenlang beschäftigen konnte, während sie doch an so viel interessantere Dinge hätte denken können.

»Denk darüber nach, bis du müde bist. Wenn du dann müde bist, öffne den Kanal.«

Paulo entfernte sich ein paar Schritte von seiner Frau und setzte sich, an die steile Felswand gelehnt, auf den Boden. Took war schon ein schlauer Kerl. Zwar hatte er das Gebot, den Schüler eines anderen Meisters nichts zu lehren, strikt eingehalten, Paulo aber durch Chris die Hinweise gegeben, die er brauchte.

Der vierte Weg, mit der unsichtbaren Welt zu kommunizieren, war das Channeling.

Channeling! Wie oft hatte er bei Staus Leute in den Wagen sitzen sehen, die Selbstgespräche führten, ohne zu merken, dass sie dabei waren, eine der raffiniertesten Methoden der Magie anzuwenden! Anders als der Mediumismus, der während des Kontakts mit den Geistern ein Ausschalten des Bewusstseins verlangte, war das Channeling die natürlichste Methode, um in das Unbekannte einzutauchen – um mit dem Heiligen Geist, mit der Weltenseele, mit den erleuchteten Meistern, die an fernen Orten des Universums wohnten, Kontakt aufzunehmen. Sie war tatsächlich sehr einfach.

Und alle Menschen überquerten diese Brücke, ohne es zu merken. Alle wundern sich, wenn sie etwas sagen, das sie vorher noch nicht einmal gedacht haben, und plötzlich Ratschläge geben und sich nicht erklären können, wie sie darauf gekommen sind.

Und alle betrachteten gerne die Wunder der Natur: ein Gewitter zum Beispiel oder einen Sonnenuntergang, bereit, mit der Universellen Weisheit in Kontakt zu treten, außer …

… außer wenn in diesen Augenblicken die unsichtbare Mauer auftauchte: das ›zweite Bewusstsein‹.

Das ›zweite Bewusstsein‹: Es versperrte mit seinen ständigen Wiederholungen, seinen Banalitäten, seinen Musikstücken, finanziellen Problemen den ungelösten Leidenschaften den Zugang.

Paulo stand auf und ging zu Chris hinüber.

»Hab Geduld, und höre alles an, was das ›zweite Bewusstsein‹ dir zu sagen hat! Gib keine Antwort! Kämpf nicht dagegen an! Es wird schon müde werden.«

Chris stellte ein weiteres Mal die Gästeliste auf, obwohl sie das Interesse daran schon längst verloren hatte. Als sie fertig war, setzte sie einen Schlusspunkt darunter.

Und öffnete die Augen.

Da saß sie nun, in dieser Erdspalte und spürte die stickige Luft ringsum.

»Öffne den Kanal! Fang an zu sprechen!«

Sprechen.

Sie hatte immer Angst gehabt, vor anderen zu sprechen. Angst davor, sich lächerlich zu machen. Angst vor dem, was die anderen über sie denken könnten, die immer den Eindruck machten, besser vorbereitet, intelligenter zu sein, und immer auf alles eine Antwort hatten.

Doch jetzt war sie hier und musste all ihren Mut zusammennehmen und sprechen, auch wenn dabei nur unzusammenhängender Unsinn herauskam. Paulo hatte ihr erklärt, dass Sprechen eine Form des Channeling sei. Dadurch könne sie das ›zweite Bewusstsein‹ überwinden und so erreichen, dass das Universum sie leitete und nach Gutdünken benutzte.

Sie begann, den Kopf zu bewegen, einfach nur, weil sie Lust hatte, es zu tun, und plötzlich hatte sie das Bedürfnis, mit dem Mund seltsame Geräusche zu machen. Sie tat es. Nichts daran war lächerlich. Sie war frei zu tun, was sie wollte.

Sie wusste nicht, woher das alles kam – und dennoch kam es von innen, aus der Tiefe ihrer Seele und offenbarte sich. Hin und wieder funkte das ›zweite Bewusstsein‹ mit seinen fixen Ideen dazwischen. Aber genau so musste es sein – ohne Logik, ohne Zensur, mit dem Herzen eines »Kriegers des Lichts« musste sie freudig in eine unbekannte Welt eintreten. Sie musste die reine Sprache des Herzens erlernen.

Paulo hörte schweigend zu, und Chris spürte seine Gegenwart. Sie war bei vollem Bewusstsein, aber frei. Sie brauchte sich keine Gedanken darüber zu machen, was er dachte – sie musste weitersprechen, die Gesten machen, zu denen sie Lust hatte, seltsame Lieder singen. Ja, alles hatte bestimmt einen Sinn, auch wenn sie diese Geräusche, diese Lieder noch nie gehört, diese Bewegungen noch nie gemacht hatte. Es war nicht einfach, denn sie hatte ständig Angst, sie bilde sich alles nur ein, weil sie so sehr den Kontakt mit dem Unbekannten wollte. Aber sie überwand die Angst, lächerlich zu wirken, und machte weiter.

Heute war es anders. Sie machte die Dinge nicht mehr wie in den ersten Tagen, weil sie sie tun sollte. Jetzt gefiel es ihr. Und sie begann, sich sicherer zu fühlen. Das Gefühl von Sicherheit kam und ging in Wellen, und Chris versuchte verzweifelt, es festzuhalten.

Um das Gefühl festhalten zu können, musste sie sprechen. Sagen, was immer ihr in den Sinn kam.

»Ich sehe diese Erde«, sagte sie mit stockender, aber ruhiger Stimme, obwohl das ›zweite Bewusstsein‹ sich immer wieder meldete und ihr einflüsterte, Paulo fände sie lächerlich. »Wir befinden uns an einem sicheren Ort, können hier nachts bleiben, auf dem Boden liegen und die Sterne betrachten und über Engel reden. Es gibt weder Skorpione noch Schlangen, noch Koyoten.«

(Ob er wohl glaubt, ich erfinde das alles, um ihn zu beeindrucken? Aber egal, ich will das jetzt einfach sagen!)

»Der Planet hat bestimmte Orte nur sich selber vorbehalten. Wenn wir an einen solchen Ort kommen, bittet er uns, wieder zu gehen. An solchen Orten kann der Planet Erde allein sein, ohne dass Millionen von Lebensformen auf seiner Oberfläche wandeln. Auch er braucht das Alleinsein, denn er versucht, sich selber zu verstehen.«

(Warum sage ich das? Er wird mich für eine Angeberin halten. Ich bin bei Bewusstsein!)

Paulo blickte sich um. Das trockene Flussbett wirkte freundlich, sanft. Aber es flößte einem auch Angst ein, Angst vor der vollkommenen Einsamkeit, dem vollkommenen Fehlen von Leben.

»Ein Gebet«, stammelte Chris. Das ›zweite Bewusstsein‹ schaffte es jetzt nicht mehr, dass sie sich lächerlich fühlte.

Aber plötzlich hatte sie Angst. Angst, das Gebet nicht zu kennen, nicht weiterzuwissen.

Und als sie Angst hatte, kam das ›zweite Bewusstsein‹ zurück und mit ihm die Lächerlichkeit, die Scham, die Sorge wegen Paulo. Schließlich war er der Hexer – er wusste mehr als sie und hielt ihr Gebrabbel vermutlich für Hokuspokus.

Sie atmete tief durch. Konzentrierte sich auf die Gegenwart, auf die Erde, auf der nichts wuchs, und auf die Sonne, die sich bereits verbarg. Ganz allmählich kehrte das Gefühl von Sicherheit zurück – wie ein Wunder.

»Ein Gebet!«, wiederholte sie.

Und ein Echo wird
deutlich am Himmel
erklingen,
wenn ich
komme und lärme.

Sie schwieg eine Weile, spürte, dass sie leer und dass das Channeling beendet war. Dann wandte sie sich Paulo zu.

»Ich bin heute zu weit gegangen. So ist es noch nie gewesen.«

Paulo strich ihr übers Haar und küsste sie. Sie wusste nicht, ob er es aus Mitleid tat oder weil er stolz auf sie war.

»Lass uns gehen«, sagte er. »Lass uns den Wunsch der Erde achten.«

(›Vielleicht sagt er das ja nur, um mir Mut zu machen, mich weiter im Channeling zu üben‹, dachte sie. Aber sie hatte keinen Zweifel – etwas war geschehen. Sie hatte das alles nicht erfunden.)

»Das Gebet?«, fragte sie und fürchtete sich vor der Antwort.

»Das ist ein alter indianischer Gesang. Von den Medizinmännern der Chippewa.«

Sie war immer stolz auf die Bildung ihres Mannes gewesen, obwohl er immer sagte, sie sei zu nichts nütze.

»Wie kann so etwas geschehen?«

Paulo erinnerte sich daran, wie der Alchimist in seinem Buch über die Geheimnisse der Alchimie gesprochen hatte: »Die Wolken sind Flüsse, die das Meer schon kennengelernt haben.« Aber er hatte keine Lust, es zu erklären. Er war angespannt, verärgert, wusste nicht genau, was er noch in der Wüste machte. Schließlich wusste er ja, wie er mit seinem Schutzengel sprechen konnte.

Hast du den Film *Psycho* gesehen?«, fragte er Chris, als sie beim Wagen ankamen.

Sie nickte.

»Im Film stirbt die Hauptdarstellerin schon nach fünfundvierzig Minuten unter der Dusche. In der Wüste habe ich am dritten Tag herausgefunden, wie man mit den Engeln spricht. Aber ich habe mir selber das Versprechen gegeben, vierzig Tage hierzubleiben, und kann es mir jetzt nicht einfach anders überlegen.«

»Aber da sind doch die Walküren!«

»Die Walküren! Ich kann ohne sie auskommen, verstehst du?«

(›Er hat Angst, sie nicht zu finden‹, dachte Chris.)

»Ich weiß, wie man mit den Engeln spricht, das ist entscheidend!« Paulos Tonfall war aggressiv.

»Darüber dachte ich gerade nach«, entgegnete Chris. »Du weißt es, *aber du willst es nicht versuchen.*«

›Das ist mein Problem‹, sagte sich Paulo, während er den Wagen startete. ›Ich brauche starke Gefühle. Brauche Herausforderungen.‹

Er schaute Chris an. Sie las zerstreut im Handbuch *Überleben in der Wüste*, das sie in einem der Orte gekauft hatten, durch die sie gekommen waren.

Er ließ den Wagen an. Dann fuhren sie wieder über eine dieser langen, geraden Straßen, die kein Ende zu haben schienen.

›Das ist nicht nur ein Problem der spirituellen Suche‹, ging er weiter seinen Gedanken nach, während er abwechselnd auf Chris und auf die Straße schaute. Er hatte die Ehe satt, obwohl er wusste, dass er seine Frau liebte. Er brauchte starke Gefühle in der Liebe, bei der Arbeit, bei fast allem, was er in seinem Leben tat. Damit verstieß er gegen eines der wichtigsten Naturgesetze: Jede Bewegung braucht auch Unterbrechungen.

Er wusste, dass in seinem Leben nichts lange halten würde, wenn er so weitermachte. Er begann zu begreifen, was J. damit sagen wollte, als er meinte: »Wir zerstören, was wir am meisten lieben.«

Zwei Tage später kamen sie nach Gringo Pass, einen Ort, der nur aus einem Motel, einem kleinen Supermarkt und dem Zollgebäude bestand. Die Grenze zu Mexiko lag nur wenige Meter entfernt, und beide machten ein paar Fotos, auf denen sie breitbeinig mit einem Fuß in jedem Land standen.

Sie betraten den kleinen Supermarkt und fragten nach den Walküren. Die Besitzerin der dazugehörenden Snack-Bar sagte, sie habe »diese Lesben« am Morgen gesehen, sie seien aber schon weitergezogen.

»Nach Mexiko?«, erkundigte sich Paulo.

»Nein, nein. Sie sind auf der Straße in Richtung Tucson unterwegs.«

Paulo und Chris kehrten ins Motel zurück und setzten sich auf die Veranda. Den Wagen hatten sie direkt davor geparkt.

»Schau nur, wie staubig der Wagen ist«, sagte Paulo nach ein paar Minuten. »Ich möchte ihn waschen.«

»Der Besitzer des Motels wird es nicht gern sehen, wenn wir sein Wasser dafür verschwenden. Wir sind in der Wüste, falls du es vergessen hast.«

Paulo sagte nichts. Er stand auf, holte die Schachtel mit den Papiertaschentüchern aus dem Handschuhfach und fing an, den Wagen abzuwischen. Chris blieb auf der Veranda sitzen.

›Er ist aufgeregt. Er kann nicht stillsitzen‹, dachte sie.

»Ich muss dir etwas Wichtiges sagen«, begann sie.

»Du hast deine Arbeit gut gemacht, keine Angst«, antwortete er, während er ein Papiertaschentuch nach dem anderen verbrauchte.

»Und genau darüber möchte ich mit dir reden«, ließ Chris nicht locker. »Ich bin nicht hierhergekommen, um eine Arbeit zu machen. Ich bin hierhergekommen, weil ich das Gefühl hatte, dass unsere Ehe dabei ist zu zerbrechen.«

›Sie spürt es also auch‹, dachte er, konzentrierte sich aber weiter auf seine Aufgabe.

»Ich habe deine spirituelle Suche immer respektiert, aber ich habe auch meine eigene«, sagte Chris. »Und ich werde meine Suche weiter betreiben, ich möchte, dass das ganz klar ist. Ich werde weiter zur Kirche gehen.«

»Ich gehe auch in die Kirche.«

»Aber das hier ist anders, und das weißt du auch. Du hast diesen Weg gewählt, um mit Gott zu kommunizieren, ich einen anderen.«

»Das will ich auch nicht ändern.«

»Aber«, und sie holte tief Luft, weil sie nicht wusste, wie seine Antwort ausfallen würde, »etwas geschieht mit mir. Ich möchte auch mit meinem Engel sprechen.«

Sie stand auf und ging zu ihm. Sie sammelte die auf dem Boden verstreuten Papiertaschentücher eines nach dem anderen auf.

»Tu mir einen Gefallen!«, sagte sie und blickte ihrem Mann tief in die Augen. »Verlass mich nicht auf halbem Wege!«

An der Tankstelle gab es hinten auch eine Snack-Bar. Sie setzten sich ans Fenster. Sie waren kurz vorher aufgewacht, und die Welt war noch ganz still. Draußen lagen die Ebene, die unendliche gerade Asphaltstraße und die Stille.

Chris sehnte sich nach Borrego Springs, nach Gringo Pass und nach Indio Pass. Dort hatte die Wüste ein Gesicht, Berge, Täler, und es gab Geschichten von Pionieren und Konquistadoren.

Hier sah man nur eine unendliche Leere. Und die Sonne. Die Sonne würde bald alles in Gelb tauchen, die Temperatur auf 55 Grad im Schatten ansteigen lassen (wobei es gar keinen Schatten gab) und das Leben für Mensch und Tier unmöglich machen.

Ein junger Mann kam zu ihnen an den Tisch. Er sah aus wie ein Chinese und sprach mit Akzent – sicher war er noch nicht lange hier. Chris stellte sich vor, was wohl alles geschehen sein mochte, um diesen Chinesen in eine Snack-Bar mitten in der Wüste zu bringen.

Sie bestellten Kaffee, Eier, Speck und Toast. Und schwiegen weiter.

Chris fiel der Blick des jungen Mannes auf – er war fest auf den Horizont gerichtet und wirkte wie der Blick eines Menschen, dessen Seele gewachsen war.

Aber nein, er machte keine heilige Übung und versuchte auch nicht, sich spirituell weiterzuentwickeln. Aus seinem Blick sprach Langeweile. Der junge Mann sah überhaupt nichts – weder die Wüste noch die Straße, noch die beiden Kunden, die so früh am Morgen aufgetaucht waren. Er beschränkte sich darauf, das zu tun, was man ihm beigebracht hatte – Kaffee in die Maschine füllen, die Eier braten, »Womit kann ich dienen?« oder »danke« sagen, als wäre er ein gezähmtes Tier ohne Gefühle oder eigene Reflexe. Der Sinn seines Lebens schien in China zurückgeblieben zu sein oder war in der unendlichen, baum- und felsenlosen Ebene verschwunden.

Der Kaffee kam. Sie tranken ihn gemächlich. Sie hatten nichts weiter vor.

Paulo schaute auf den draußen geparkten Wagen, der, obschon er ihn doch vor wenigen Tagen erst abgewischt hatte, wieder ganz staubig war.

Sie hörten ein Geräusch in der Ferne. Bald würde der erste Lastwagen des Tages vorbeikommen. Der junge Mann würde sich aus seiner Erstarrung lösen, Eier und Speck vergessen und hinausschauen, versuchen, etwas zu erkennen, weil er sich wünschte, Teil einer Welt zu sein, die sich bewegte, einer Welt, die an der Snack-Bar vorbeirauschte. Er konnte nur aus der Ferne die Welt vorbeirauschen sehen, das war alles. Wahrscheinlich träumte er nicht einmal mehr davon, alles stehen- und liegenzulassen und per Anhalter mit einem dieser Laster wegzufahren. Er war süchtig nach Stille und Leere.

Das Geräusch schwoll an, klang aber nicht so wie der Motor eines Lastwagens. So etwas wie Hoffnung keimte in

Paulo auf, nur ein wenig, und er versuchte, ihr keine Beachtung zu schenken.

Das Geräusch wurde zu Lärm. Chris wandte den Kopf, um zu sehen, was draußen los war.

Paulo starrte in seinen Kaffee. Chris sollte seine Anspannung nicht merken.

Der Lärm ließ die Scheiben der Snack-Bar erzittern. Der junge Mann sah ungerührt vor sich hin – er kannte diesen Lärm und mochte ihn nicht.

Aber Chris schaute fasziniert hinaus. Funkeln erfüllte den Horizont, Licht glitzerte auf Metall – und ihr war so, als würde der Lärm das Gras, den Asphalt, die Decke, die Snack-Bar, die Fensterscheiben durchrütteln.

Donnernd galoppierten rund ein Dutzend Pferde auf die Tankstelle zu, und die gerade Straße, die ebene Wüste, das niedrige Gras, der junge Chinese, die beiden Brasilianer, die einen Engel suchten, alle schauten ihnen gebannt entgegen.

Die schönen Pferde drehten gefährlich nahe beieinander eine Runde nach der anderen um die Tankstelle herum. Peitschen knallten, behandschuhte Hände führten geschickt die Zügel. Als gälte es, die ganze Wüste zu wecken und mit Lebensfreude anzustecken, stießen die Reiterinnen gellende Schreie aus wie Cowboys, die ihr Vieh vor sich hertrieben. Paulo hatte hochgeblickt und schaute fasziniert zu, aber er hatte Angst. Womöglich geschah das alles nur, um den jungen Chinesen aufzurütteln und ihn daran zu erinnern, dass es mehr gab als nur diese öde Tankstelle und die Snack-Bar, in der fast nichts los war.

Unvermittelt, wie auf ein unsichtbares Zeichen hin, blieben die Pferde stehen.

Die Walküren stiegen ab, klopften den Staub von ihrer Lederkluft, nahmen die bunten Tücher ab, die sie zum Schutz über Mund und Nase gebunden hatten, und banden sie sich um den Hals. Dann betraten sie die Snack-Bar.

Acht Frauen.

Sie bestellten nichts. Der Chinese schien auch so zu wissen, was sie wollten – er legte bereits Speck, Toast und Eier auf das heiße Blech. Trotz der plötzlichen Unruhe arbeitete er weiter wie eine gehorsame Maschine.

»Warum ist das Radio aus?«, fragte eine der Reiterinnen.

Sofort stellte der Chinese das Radio an.

»Stell es lauter!«, forderte eine andere Frau.

Wie ferngesteuert drehte der Chinese das Radio auf volle Lautstärke. Die einsame Tankstelle hatte sich unvermittelt in eine New Yorker Disco verwandelt. Ein paar Frauen klatschten im Rhythmus mit, andere versuchten, sich in dem Lärm schreiend zu unterhalten.

Chris, die alles gebannt beobachtete, entdeckte plötzlich, dass eine der Reiterinnen vollkommen still dasaß – sie hatte lange rote Locken und war offensichtlich die Älteste. Sie nahm nicht an der Unterhaltung teil und zeigte auch kein Interesse an dem Frühstück, das gerade zubereitet wurde.

Stattdessen starrte sie unverwandt zu Paulo hinüber. Und Paulo, der das Kinn in die rechte Hand gestützt hatte, erwiderte ihren Blick.

Chris versetzte es einen Stich ins Herz. Etwas Seltsames, sehr Seltsames spielte sich da ab – wieso, konnte sie sich nicht erklären. Vielleicht hatte die Tatsache, dass sie in den vergangenen Tagen zum Horizont geschaut oder ständig das Channeling geübt hatte, dazu geführt, dass sie die Dinge rings um sie herum anders wahrnahm. Sie hatte Vorahnungen gehabt. Jetzt wurden sie wahr.

Sie tat so, als bemerke sie nicht, dass die beiden einander ansahen. Aber ihr Herz schickte ihr eigenartige Signale – und sie wusste nicht, ob es gute oder schlechte waren.

›Took hatte recht‹, dachte Paulo. ›Er sagte, es sei ganz einfach, Kontakt zu ihnen aufzunehmen.‹

Allmählich bemerkten die anderen Frauen, was sich abspielte. Sie folgten dem Blick der Frau mit den roten Locken zu dem Tisch, an dem Paulo und Chris saßen. Ihre Unterhaltung verstummte, und sie bewegten sich auch nicht mehr im Takt der Musik.

»Mach das Radio aus!«, befahl die Frau mit den roten Locken dem Chinesen.

Er gehorchte. Jetzt war das einzige Geräusch das Brutzeln des Specks auf dem Blech.

Die Rothaarige stand auf und ging quer durch den Raum bis zu dem Tisch, an dem Chris und Paulo saßen. Dort blieb sie stehen. Die anderen beobachteten weiterhin die Szene.

»Woher hast du diesen Ring?«, fragte sie Paulo unvermittelt.

»Aus demselben Laden, in dem du deine Anstecknadel gekauft hast«, antwortete er.

Erst da sah Chris die Metallbrosche an der Lederjacke der Frau. Darauf war das gleiche Symbol wie auf dem Ring, den Paulo am linken Ringfinger trug.

›Ach, deshalb hatte er seine Hand unterm Kinn!‹

Sie hatte bereits viele Ringe der Mondtradition gesehen – in allen Farben, aus allen erdenklichen Materialien und in allen Größen – immer in Form einer Schlange, dem Symbol für Weisheit.

Aber so einen Ring, wie ihr Mann ihn am Finger trug, hatte sie außer bei ihm noch nie gesehen. J. hatte ihn ihm 1982, als sie zu dritt in Norwegen gewesen waren, mit den Worten gegeben, dass er so »die Mondtradition vollendete, einen von der Angst unterbrochenen Zyklus«.

Und jetzt, mitten in der Wüste – eine Frau mit der Anstecknadel. Dasselbe Design.

›Frauen achten immer auf Schmuckstücke.‹

»Was willst du?«, fragte die Rothaarige.

Paulo stand auf. Er und die Rothaarige standen einander jetzt gegenüber und sahen einander an. Chris' Herz zog sich noch mehr zusammen – nicht aus Eifersucht, da war sie sich sicher.

»Was willst du?«, fragte die Rothaarige noch einmal.

»Mit meinem Engel sprechen. Und noch etwas anderes.«

Die Frau nahm Paulos Hand. Fuhr mit den Fingern über den Ring, und zum ersten Mal hatte diese Frau etwas Weibliches.

»Wenn du den Ring im selben Laden gekauft hast wie ich, dann wirst du wissen, wie man das macht«, sagte sie, während sie auf die Schlangen starrte. »Wenn nicht, dann verkauf ihn mir! Es ist ein schönes Schmuckstück.«

Das war kein Schmuckstück. Es war nur ein einfach gearbeiteter silberner Ring mit zwei ineinander verschlungenen Schlangen. Jede der Schlangen hatte zwei Köpfe.

Paulo antwortete nicht.

»Du kannst nicht mit den Engeln sprechen, wenn dieser Ring dir nicht gehört«, sagte die Frau nach einer Weile.

»Ich weiß. Channeling.«

»Genau«, entgegnete die Frau. »Sonst nichts.«

»Ich sagte, ich wolle noch etwas anderes.«

»Was denn?«

»Took hat seinen Engel gesehen. Ich will meinen sehen. Mit ihm reden, von Angesicht zu Angesicht.«

»Took?«

Der Blick der Rothaarigen ging in die Vergangenheit, versuchte, sich zu erinnern, wer Took war, wo er lebte.

»Ja, jetzt erinnere ich mich«, sagte sie. »Er lebt in der Wüste. Eben gerade, weil er seinen Engel gesehen hat.«

»Nein. Er lernt, um ein Meister zu werden.«

»Diese Vorstellung, einen Engel *sehen* zu müssen, ist nichts als ein Märchen. Es reicht, mit ihm zu sprechen.«

Paulo machte einen Schritt auf die Walküre zu.

Chris kannte diesen Trick ihres Mannes: Er hieß ›Destabilisierung‹. Normalerweise sprechen Menschen miteinander, indem sie eine Armlänge Abstand voneinander halten. Wenn einer dem anderen zu nahe kommt, wird das Denken des anderen durcheinandergebracht, ohne dass er weiß, wieso.

»Ich will meinen Engel sehen!« Paulo stand nun direkt vor der Frau und starrte sie an.

»Wozu?« Die Walküre schien eingeschüchtert zu sein. Der Trick funktionierte.

»Weil ich verzweifelt bin und Hilfe brauche. Ich habe Dinge erreicht, die wichtig für mich waren, und ich werde sie zerstören, weil ich mir sage, dass sie ihren Sinn verloren haben. Ich weiß, dass es nicht stimmt, ich weiß, dass sie weiterhin wichtig sind und dass ich, wenn ich sie zerstöre, mich selber zerstöre.«

Er sprach im gleichen unbeteiligten Tonfall weiter.

»Als ich herausgefunden habe, dass Channeling reicht, um mit meinem Engel zu sprechen, habe ich das Interesse daran verloren. Es war keine Herausforderung mehr, bloß noch etwas, das ich bereits gut kannte. Und da merkte ich, dass mein Weg in der Magie kurz vor seinem Ende steht. Das Unbekannte wurde mir allmählich zu vertraut.«

Chris war verblüfft über dieses Geständnis, das Paulo da vor wildfremden Menschen abgab.

»Um diesen Weg weiterzugehen, brauche ich etwas Größeres«, schloss er. »Ich brauche immer höhere Berge.«

Die Frau schwieg, überrascht von den Worten des Fremden.

»Wenn ich dir beibringe, einen Engel zu sehen, wird dein Wunsch, immer höhere Berge zu suchen, vielleicht vergehen«, sagte sie schließlich. »Aber das ist nicht immer gut.«

»Nein, dieser Wunsch wird nie vergehen. Was vergehen wird, ist diese Vorstellung, dass die erklommenen Berge zu niedrig sind. Ich werde meine Liebe für das, was ich errungen habe, am Lodern halten. Das war es, was mein Meister mir zu sagen versuchte.«

›Vielleicht spricht er auch über unsere Ehe‹, dachte Chris.

Die Frau reichte Paulo die Hand.

»Mein Name ist M.«, sagte sie.

»Mein Name ist S.«, sagte Paulo.

Chris erschrak. Paulo hatte ihr seinen Namen als Magier genannt. Nur sehr wenige Menschen kannten dieses Geheimnis, denn die einzige Möglichkeit, einem Magier Schaden zuzufügen, besteht darin, seinen Magiernamen zu benutzen. Deshalb durfte ihn nur jemand vollkommen Vertrauenswürdiges erfahren.

Paulo war dieser Frau gerade erst begegnet. Er konnte ihr doch nicht dermaßen vertrauen.

»Du kannst mich Vahalla nennen«, sagte die Rothaarige.

›Das erinnert an den Namen des altnordischen Paradieses‹, dachte Paulo, während er ihr auch seinen Taufnamen sagte.

Die Rothaarige schien sich etwas zu entspannen. Zum ersten Mal sah sie Chris an, die mit am Tisch saß.

»Um einen Engel zu sehen, braucht es drei Dinge«, fuhr Vahalla fort, indem sie sich wieder an Paulo wandte, als gäbe es Chris überhaupt nicht. »Und außer diesen drei Dingen braucht es Mut. Den Mut einer Frau, den wahren Mut. Nicht den Mut eines Mannes.«

Paulo tat so, als hätte er den letzten Satz nicht gehört.

»Morgen werden wir in Tucson sein«, sagte Vahalla. »Triff uns mittags, wenn dein Ring echt ist.«

Paulo ging zum Wagen, holte die Karte, und Vahalla zeigte ihm den genauen Treffpunkt. Der Chinese stellte Eier, Speck und Toast auf den Tisch, und eine der Walküren ermunterte Vahalla zu essen, das Frühstück werde sonst kalt. Daraufhin kehrte die Rothaarige an ihren Platz am Tresen zurück und bat den Chinesen, das Radio wieder anzustellen.

»Welches sind die drei Voraussetzungen, um mit dem Engel zu sprechen?«, fragte Paulo noch.

»Einen Pakt brechen. Eine Vergebung annehmen. Und eine Wette eingehen«, antwortete Vahalla.

Sie schauten hinunter auf die Stadt. Zum ersten Mal in fast drei Wochen waren sie in einem richtigen Hotel untergebracht – mit Zimmerservice, Bar und Frühstück im Bett.

Es war sechs Uhr abends – normalerweise übte Paulo sich um diese Zeit im Channeling, doch jetzt schlief er tief und fest.

Chris wusste, dass die Begegnung am Morgen in der Tankstelle alles verändert hatte. Wenn sie mit ihrem eigenen Engel sprechen wollte, war sie jetzt ganz auf sich gestellt.

Auf der Fahrt nach Tucson hatten sie kaum miteinander gesprochen. Sie hatte Paulo nur gefragt, warum er seinen Magiernamen genannt habe. Und er hatte gesagt, Vahalla habe ihren genannt, und als Zeichen seines Mutes und seines Vertrauens habe er ihr seinen genannt – er habe doch nicht hinter ihr zurückstehen können.

Möglicherweise sagte er die Wahrheit. Möglicherweise würde er heute Abend wieder mit ihr sprechen.

Sie war eine Frau, sie nahm Dinge wahr, die Männer nicht wahrnahmen.

Sie ging hinunter zur Rezeption und fragte nach einer Buchhandlung in der Nähe. Es gab keine. Man musste mit dem Wagen zu einem Shopping-Center fahren.

Sie zögerte ein paar Minuten. Dann ging sie wieder aufs

Zimmer und nahm den Autoschlüssel. Sie waren in einer großen Stadt. Wenn Paulo aufwachte, würde er denken, was alle Männer über Frauen denken: dass sie shoppen gegangen sei.

Sie verirrte sich ein paarmal, fand aber schließlich ein riesiges Shopping-Center (oder eine *Mall*, wie man in Amerika sagte). In einem der Läden ließ sie einen Zweitschlüssel für den Wagen anfertigen.

Sie wollte auch einen Schlüssel haben. Nur aus Sicherheitsgründen.

Dann suchte sie nach einer Buchhandlung. Beim Stöbern fand sie bald, was sie suchte:

WALKÜREN: Geisterwesen aus dem Gefolge Wotans.

Sie hatte keine Ahnung, wer Wotan war. Aber das war unwichtig.

Botinnen der Götter, geleiten die Helden zum Tode – und anschließend ins Paradies.

Botinnen. Wie die Engel. Tod und Paradies. Auch wie die Engel.

Sie geben den Kämpfenden Kraft durch die Liebe, die ihr Zauber in deren Herzen auslöst. Sie treiben sie an durch das Beispiel ihrer Kühnheit an der vordersten Front der Schlacht, wo sie unter ohrenbetäubendem Lärm schnell wie die Wolken auf ihren Pferden dahinreiten.

Sie hätten keinen besseren Namen auswählen können.

Sie symbolisieren zugleich den Rausch, den Mut auslösen kann, die Zeit des Kraftschöpfens für den Krieger, das Abenteuer der kämpferischen Liebe, Begegnung und Verlust.

Ja, Paulo würde ganz bestimmt mit ihr reden wollen.

Zum Abendessen gingen sie hinunter ins Restaurant des Hotels – obwohl Paulo darauf drängte, sich in der großen, mitten in die Wüste gepflanzten Stadt umzusehen. Aber Chris sagte, sie sei müde, sie wolle früh ins Bett gehen und den Komfort genießen.

Sie redeten das ganze Abendessen lang über Belangloses. Paulo war übertrieben freundlich – sie kannte ihren Mann, wusste, dass er den richtigen Moment abpasste. Also hörte sie allem genau zu und zeigte Neugier, als er erzählte, dass es in Tucson das größte Wüstenmuseum der Welt gebe.

Er freute sich über ihr Interesse. Begeistert erzählte er, dass man dort gefahrlos lebende Koyoten, Schlangen und Skorpione sehen könne und das Museum seriöses Informationsmaterial bereithalte. Und auch, dass man dort den ganzen Tag verbringen könne.

Chris sagte, sie habe große Lust, es zu besuchen.

»Dann schau es dir morgen an!«, schlug Paulo vor.

»Aber Vahalla hat doch gesagt, wir treffen uns um zwölf.«

»Du brauchst nicht mitzukommen.«

»Eine merkwürdige Uhrzeit für ein Treffen«, entgegnete sie. »Kein Mensch geht um zwölf Uhr mittags lange in der Wüste herum. Wir haben das auf die schlimmste Weise lernen müssen.«

Paulo hatte das auch merkwürdig gefunden. Aber er wollte die Gelegenheit nicht verpassen. Er befürchtete, Vahalla könnte trotz des Rings ihre Meinung ändern.

Er hatte das Thema gewechselt, und Chris konnte die Anspannung ihres Mannes spüren. Sie redeten noch eine Weile über Belangloses, tranken eine ganze Flasche Wein aus und wurden schnell müde. Paulo schlug vor, gleich aufs Zimmer zu gehen.

»Ich weiß nicht, ob du morgen mitkommen solltest«, sagte er beiläufig.

Sie hatte an diesem Tag bereits alles erlebt und genossen, was ihr wichtig war – den Ort, Paulos Anspannung, das Essen. Zu ihrer Freude merkte sie, wie gut sie den Mann an ihrer Seite kannte. Aber jetzt war es schon spät, es war Zeit, ein klares Wort zu sprechen.

»Ich komme mit. Auf jeden Fall.«

Er war verärgert. Er sagte, sie sei bloß eifersüchtig und würde den Fortgang seiner Suche behindern.

»Eifersüchtig auf wen?«

»Auf die Walküren. Auf Vahalla.«

»So ein Unsinn!«

»Aber das hier ist *meine* Suche. Ich bin mit dir hierhergekommen, weil ich dich bei mir haben wollte, aber es gibt bestimmte Dinge, die ich allein tun muss.«

»Ich will aber mitkommen«, sagte sie.

»Magie hat in deinem Leben doch nie eine Rolle gespielt. Wieso dann ausgerechnet jetzt?«

»Weil ich jetzt meine Suche begonnen habe. Und ich habe dich gebeten, mich nicht auf halbem Wege zu verlassen«, antwortete sie und beendete damit das Gespräch.

Vollkommene Stille.

Chris ertrug Vahallas Blick nun schon eine ganze Weile.

Alle, auch Paulo, trugen Sonnenbrillen.

Alle – außer Vahalla und Chris. Chris hatte die Brille abgenommen, damit die Walküre sehen konnte, dass sie ihr in die Augen blickte.

Minuten vergingen, und niemand sagte etwas. Das einzige Wort, das bisher gefallen war, war Paulos »Hallo« gewesen, als sie am Treffpunkt ankamen. Der Gruß wurde nicht erwidert. Vahalla war auf Chris zugekommen und dicht vor ihr stehen geblieben.

Und seither war nichts weiter passiert.

›Zwanzig Minuten stehen wir nun schon so‹, schätzte Chris. Die Sonne, die Hitze und die Stille brachten sie ganz durcheinander.

Sie versuchte, sich etwas abzulenken. Sie befanden sich am Fuß eines Berges! Hinter Vahalla war eine riesige, in den Fels gebaute Tür. Chris stellte sich vor, wohin diese Tür führen könnte, und bemerkte, dass sie schon nicht mehr richtig denken konnte. Genau so wie an dem Tag, an dem sie vom Salzsee zurückgekommen waren.

Die anderen Walküren, die nicht von ihren Pferden abgestiegen waren, bildeten einen Halbkreis um sie herum. Sie hatten ihre Tücher wie Zigeuner oder Piraten um den Kopf gebunden. Vahalla war die Einzige, deren Kopf unbedeckt war – sie trug ihr Tuch um den Hals. Ihr schien die Sonne nichts auszumachen.

Keiner schwitzte, und die Luft war so trocken, dass jede Flüssigkeit sofort verdunstete, wie Took gesagt hatte. Chris wusste, dass sie schnell dehydrierte.

Obwohl sie so viel Wasser getrunken hatte, wie sie konnte, obwohl sie auf die Wüste am Mittag vorbereitet war. Obwohl sie diesmal nicht nackt war.

›Aber sie zieht mich mit den Blicken aus‹, dachte sie. ›Nicht wie die Männer auf der Straße, sondern auf die grausame Art, wie Frauen es tun, wenn …‹

Sie konnte nicht ewig hier stehen bleiben. Sie wusste nicht, wie lange das alles noch dauern, nur dass sie bald einen Sonnenstich haben würde. Alle verharrten reglos – und zwar nur ihretwegen, weil sie unbedingt hatte mitkommen und die Walküren wiedersehen wollen – Götterbotinnen, die die Helden in den Tod und ins Paradies geleiteten.

Chris hatte eine Dummheit begangen, doch jetzt war es zu spät. Sie war mitgekommen, weil ihr Engel es befohlen hatte. Er hatte gesagt, Paulo werde sie an diesem Nachmittag brauchen.

›Nein es war keine Dummheit. Der Engel hat darauf bestanden, dass ich mitkomme‹, beruhigte sie sich.

Ihr Engel – sie redete mit ihm! Niemand wusste es – auch Paulo nicht.

Sie fühlte sich schwindlig und dachte, sie würde sicher

gleich ohnmächtig werden. Aber sie würde nicht klein beigeben – jetzt ging es nicht mehr darum, an der Seite ihres Mannes zu sein oder dem Engel zu gehorchen. Jetzt ging es um den Stolz einer Frau, die sich mit einer anderen Frau maß.

»Setz deine Brille wieder auf!«, sagte Vahalla. »Dieses Licht kann blind machen.«

»Du hast auch keine auf«, entgegnete Chris. »Und hast keine Angst davor.«

Vahalla machte ein Zeichen. Und plötzlich schien sich die Sonne zu verzehnfachen. Die Walküren richteten es so ein, dass die Sonne auf dem Zaumzeug reflektierte, und lenkten die Strahlen auf Chris' Gesicht. Diese sah einen gleißenden Halbkreis. Sie kniff die Augen zusammen, hielt aber den Blick weiter auf Vahalla gerichtet.

Sie konnte sie jedoch kaum erkennen. Vahalla schien zu wachsen, und Chris spürte, wie ihre Verwirrung wuchs. Sie spürte, wie sie fiel – und in diesem Augenblick wurde sie von zwei lederbekleideten Armen aufgefangen.

Paulo sah, wie Vahalla seine Frau stützte. Er dachte, dass er das alles hätte vermeiden können. Dass er darauf hätte bestehen sollen, dass Chris im Hotel blieb – egal, was sie davon hielt. Sobald er die Anstecknadel gesehen hatte, wusste er, welcher Tradition die Walküren angehörten.

Diese hatten seinen Ring ebenfalls gesehen und wussten, dass er schon viele Prüfungen bestanden hatte und es nicht leicht war, ihm Angst einzujagen. Aber sie würden alles tun, um jeden, der sich ihrer Gruppe näherte, auf Herz und Nieren zu prüfen. Wie seine Frau beispielsweise.

Allerdings würden sie letztlich weder Chris noch sonst jemanden – wirklich niemanden – daran hindern, ihr Wissen zu erfahren. Sie hatten einen Schwur getan: Alles, was verborgen war, musste enthüllt werden. Chris wurde gerade auf die erste große Tugend getestet, die man braucht, um den spirituellen Weg zu gehen: Mut.

»Hilf mir!«, sagte die Walküre.

Paulo trat hinzu und half Vahalla, seine Frau zu stützen. Sie trugen sie zum Wagen und legten sie auf den Rücksitz.

»Keine Sorge! Sie kommt gleich wieder zu sich. Sie wird große Kopfschmerzen haben.«

Paulo war nicht besorgt. Er war stolz.

Vahalla ging zu ihrem Pferd und holte eine Trinkflasche. Paulo bemerkte, dass sie die Sonnenbrille aufgesetzt hatte – sie war sicher auch an ihre Grenze gelangt.

Sie goss Wasser über Chris' Stirn, über die Handgelenke und hinter die Ohren. Chris öffnete die Augen, blinzelte etwas und setzte sich auf.

»Einen Pakt brechen«, sagte sie, während sie der Walküre ins Gesicht sah.

»Du bist eine interessante Frau«, antwortete Vahalla und strich ihr übers Gesicht. »Aber setz deine Brille auf!«

Vahalla streichelte Chris' Haar. Und obwohl beide Sonnenbrillen trugen, wusste Paulo, dass sie einander weiter ansahen.

Die drei gingen auf einen Berg zu, in den eine geheimnisvolle Tür eingelassen war. Dort wandte sich Vahalla an die anderen Walküren.

»Für die Liebe. Für den Sieg. Und zu Gottes Ruhm.«

Die Worte derer, die die Engel kennen. Der Satz, den J. benutzt hatte.

Die Pferde, die bis dahin reglos dagestanden hatten, wurden unruhig. Wie tags zuvor bei der Tankstelle gaben die anderen Walküren ihren Pferden jetzt die Sporen und ritten dicht aneinander vorbei, eine Runde nach der anderen, weiter und immer weiter. Wenige Minuten später waren sie hinter dem Berg verschwunden

Nun wandte sich Vahalla an Paulo und Chris.

»Lasst uns hineingehen!«, sagte sie.

Da war keine Tür, sondern ein Gitter. Davor ein Schild:

GEFAHR
EINTRITT DURCH DIE BUNDESREGIERUNG
VERBOTEN
ZUWIDERHANDLUNGEN WERDEN STRAFRECHTLICH
VERFOLGT.

»Glaubt das bloß nicht!«, sagte die Walküre. »Die können das hier nicht alles überwachen.«

Es handelte sich um eine verlassene Goldmine. Vahalla machte eine Taschenlampe an, und sie bewegten sich vorsichtig voran, um nicht unerwartet mit dem Kopf gegen die Bohlen an der Decke zu stoßen. Paulo merkte, dass das Erdreich hier und da abgerutscht war. Vielleicht war es ja gefährlich – aber darüber wollte er jetzt nicht nachdenken.

Je tiefer sie in den Berg hineingingen, desto kühler wurde es, bis die Temperatur angenehm war. Er befürchtete, keine Luft zu bekommen, aber Vahalla bewegte sich, als würde sie das alles sehr gut kennen – offenbar war sie schon mehrmals hier gewesen und noch immer am Leben. Auch darüber wollte er jetzt nicht nachdenken.

Nach ungefähr zehn Minuten blieb die Walküre stehen. Sie setzten sich auf den Boden, und Vahalla legte die Taschenlampe in die Mitte zwischen sie drei.

»Engel«, sagte sie. »Die Engel sind für diejenigen sichtbar, die das Licht annehmen. Und den Pakt mit der Dunkelheit brechen.«

»Ich habe keinen Pakt mit der Dunkelheit«, entgegnete Paulo. »Ich hatte einen. Aber jetzt nicht mehr.«

»Ich meine nicht den Pakt mit Luzifer oder Satan oder mit …« – sie begann, die Namen verschiedener Dämonen zu nennen, und ihr Gesicht wirkte dabei eigenartig.

»Sprich diese Namen nicht aus!«, unterbrach Paulo sie. »Gott ist in den Worten und der Dämon auch.«

Vahalla lachte.

»Mir scheint, du hast die Lektion gelernt. Jetzt brich den Pakt!«

»Ich habe keinen Pakt mit dem Bösen«, wiederholte er.

»Ich meine den Pakt mit der Niederlage.«

Paulo erinnerte sich an die Worte von J. – »der Mensch zerstört immer, was er am meisten liebt«. Aber J. hatte nichts von einem Pakt gesagt. Er kannte Paulo gut genug, um zu wissen, dass dieser seinen Pakt mit dem Bösen schon vor langer Zeit gebrochen hatte. Die Stille in der Mine war schlimmer als die der Wüste. Man hörte absolut gar nichts, nur Vahallas Stimme – die jetzt anders klang.

»Wir haben eine Abmachung mit uns selber: nicht siegen, wenn der Sieg möglich ist«, ließ sie nicht locker.

»Ich habe nie so etwas mit mir abgemacht«, sagte Paulo zum dritten Mal.

»Wir alle haben es getan. Irgendwann im Leben haben alle diesen Pakt geschlossen. Deshalb steht ein Engel mit einem Feuerschwert an der Pforte des Paradieses. Und er lässt nur diejenigen hinein, die diesen Pakt gebrochen haben.«

›Ja, sie hat recht‹, dachte Chris. ›Wir alle haben ihn geschlossen.‹

»Findest du mich schön?«, fragte Vahalla, und ihre Stimme klang wieder ein wenig anders.

»Du bist eine schöne Frau«, antwortete Paulo.

»Eines Tages, damals war ich noch ein Teenager, ist meine beste Freundin plötzlich vor mir in Tränen ausgebrochen. Wir waren unzertrennlich und mochten uns sehr. Ich fragte sie, was los sei. Nach langem Drängen erzählte sie mir, dass ihr Freund in mich verliebt sei. Ohne mir dessen bewusst zu sein, habe ich an jenem Tag mit mir selbst einen Pakt geschlossen. Ich begann zuzunehmen, meinen Körper zu vernachlässigen, mich ganz allgemein gehenzulassen. Denn unbewusst hielt ich meine Schönheit für einen Fluch, der meiner besten Freundin Leid verursacht hatte.

Es dauerte nicht lange, da hatte ich jegliche Lebensfreude in mir erstickt und sah keinen Sinn mehr im Leben. Bis zu dem Augenblick, an dem ich das alles nicht mehr ertrug. Ich wollte sterben.«

Vahalla lachte.

»Wie du siehst, habe ich den Pakt gebrochen.«

»Stimmt«, sagte Paulo.

»Ja, stimmt«, sagte Chris. »Du bist schön.«

»Wir befinden uns im Bauch des Berges«, fuhr Vahalla fort. »Draußen scheint die Sonne, und hier ist alles dunkel. Aber die Temperatur ist angenehm, wir können schlafen, brauchen uns um nichts zu kümmern. Hier herrscht die Dunkelheit des Paktes.«

Ihre Hand tastete nach dem Reißverschluss ihrer Lederjacke.

»Brich den Pakt!«, sagte sie. »Zum Ruhme Gottes. Für die Liebe und für den Sieg.«

Dann zog sie langsam den Reißverschluss herunter. Sie trug nichts unter der Jacke. Im Licht der Taschenlampe blitzte zwischen ihren Brüsten ein goldenes Medaillon.

»Nimm es!«, sagte sie.

Paulo berührte das Medaillon. Der Erzengel Michael.

»Nimm die Kette von meinem Hals!«

Er nahm ihr das Medaillon ab und hielt es in beiden Händen.

»Haltet beide das Medaillon!«

»Ich brauche meinen Engel nicht zu sehen!« Zum ersten Mal, seit sie in die Mine gegangen waren, sagte Chris etwas. »Ich brauche es nicht, es reicht mir, mit ihm zu sprechen!«

Paulo stand mit dem Medaillon in der Hand da.

»Ich habe mit meinem Engel zu sprechen begonnen«, fuhr Chris fort. »Ich weiß, dass ich es kann, und das reicht.«

Paulo konnte es nicht glauben. Doch Vahalla wusste, dass es stimmte. Sie hatte es in Chris' Augen gelesen, als sie draußen gewesen waren. Dennoch hatte sie Chris' Mut auf die Probe stellen müssen. Das erforderte die ›Tradition‹.

»Ist in Ordnung«, sagte die Walküre.

Damit schaltete sie die Taschenlampe aus. Und es herrschte vollkommene Dunkelheit.

»Häng dir das Medaillon um den Hals!«, forderte sie Paulo auf. »Und halte es in den gefalteten Händen!«

Paulo gehorchte. Er hatte Angst vor dieser vollkommenen Dunkelheit. Sie erinnerte ihn an Dinge, an die er sich nicht erinnern wollte.

Er spürte, wie sich Vahalla von hinten näherte. Ihre Hände berührten ihn am Kopf.

Die Dunkelheit war kompakt. Kein einziger Lichtstrahl drang bis hierher.

Vahalla begann, ein Gebet in einer fremdartigen Sprache zu sprechen. Anfangs versuchte Paulo noch herauszufinden, was sie sagte. Dann spürte er, während ihre Hände über seinen Kopf strichen, wie das Medaillon immer heißer wurde. Er konzentrierte sich ganz auf die Hitze in seinen Händen.

Die Dunkelheit veränderte sich. Verschiedene Szenen aus seinem Leben spielten sich vor ihm ab. Licht und Schatten, Licht und Schatten – und plötzlich herrschte wieder nur noch Dunkelheit.

»Ich möchte mich nicht daran erinnern«, bat er die Walküre.

»Erinnere dich! Was auch immer es ist, versuche, dich an jede Minute zu erinnern!«

Die Dunkelheit zeigte ihm das Grauen. Das Grauen, das vor vierzehn Jahren geschehen war.

Auf dem Frühstückstisch lag ein Zettel: »Ich liebe dich. Bin gleich wieder da.« Darunter hatte sie das vollständige Datum notiert: 25. März 1974.

Merkwürdig. Einen Liebesgruß zu datieren.

Als er aufwachte, war ihm etwas schwindlig gewesen. Er hatte noch unter der Wirkung seines Traums gestanden, in dem ihm zu seiner Überraschung der Direktor der Plattenfirma eine Arbeitsstelle angeboten hatte. Er brauchte die Anstellung nicht: Der Direktor der Firma war sein Angestellter – seiner und der seines Partners. Die Platten, die sie produzierten, standen an der Spitze der Charts, verkauften sich tausendfach, und aus allen Ecken Brasiliens kamen Briefe. Die Leute wollten wissen, was die ›Sociedade Alternativa‹ war.

›Man braucht doch nur auf die Songtexte zu achten‹, hatte er damals gedacht. Es war nicht die Musik – es war das Mantra eines magischen Rituals, bei dem die Worte des »Tiers der Apokalypse« leise im Hintergrund verlesen wurden. Wer diesen Song sang, würde die Kräfte der Finsternis anrufen. Und alle sangen ihn.

Er und sein Partner hatten alles schon vorbereitet. Das mit den Autorenrechten verdiente Geld sollte in den Kauf eines Grundstücks in der Nähe von Rio de Janeiro investiert werden. Dort würden sie hinter dem Rücken des Militärregimes wiedererschaffen, was das »Große Tier« in Cefalù auf Sizilien schon einmal aufzubauen versucht hatte. Das »Große Tier« – als das hatte sich der Okkultist Aleister Crowley selber bezeichnet – war damals von den italienischen Behörden ausgewiesen worden. Es hatte sich in vielen Punkten geirrt – es hatte nicht genügend Schüler gefunden, wusste nicht, wie man Geld verdiente. Es hatte allen verkündet, seine Zahl sei die 666, es werde eine Welt schaffen, in der die Schwachen den Starken dienten und in der das einzige Gesetz sei zu tun, wozu man Lust hatte. Aber es hatte es nicht geschafft, seine Vorstellungen zu verbreiten – nur wenige Menschen hatten seine Worte ernst genommen.

Bei ihm selber und seinem Partner – Rául Seixas –, bei ihnen war das ganz anders gewesen! Rául sang, und das gesamte Land hörte zu. Sie waren junge Leute, und sie verdienten viel Geld. Brasilien lebte zwar unter einer Militärdiktatur, aber die Regierung war vor allem wegen der Guerilleros in Sorge. Mit einem Rocksänger gaben sie sich nicht ab. Ganz im Gegenteil, die Behörden fanden, dass dessen Musik die jungen Leute vom Kommunismus fernhielt.

Er trank seinen Kaffee und ging ans Fenster. Er würde einen Spaziergang machen und sich dann mit seinem Partner treffen. Es war ihm gleichgültig, dass ihn niemand kannte und sein Freund berühmt war. Entscheidend war, dass er Geld verdiente, das ihm erlaubte, seine Vorstellungen zu verwirklichen. Die Leute aus der Musikszene, die Leute aus der Magierszene – ja, die wussten das! Beim großen Publikum unbekannt zu sein hatte sogar etwas für sich – mehr als einmal hatte er deswegen das Vergnügen gehabt, unbemerkt zuhören zu können, als jemand etwas Positives über seine Arbeit sagte.

Er trat vom Fenster zurück, um seine Turnschuhe anzuziehen. Als er sich herunterbeugte, spürte er einen leichten Schwindel.

Er hob den Kopf. Die Wohnung wirkte dunkler als sonst. Draußen schien die Sonne. Irgendetwas brannte – möglicherweise ein Haushaltsgerät, denn der Herd war abgestellt. Er suchte in allen Ecken. Nichts.

Die Luft war stickig. Er beschloss, sofort hinauszugehen – ohne erst die Turnschuhe zuzubinden. Er merkte, dass er sich unwohl fühlte.

›Wahrscheinlich habe ich irgendetwas gegessen, was mir nicht bekommen ist‹, sagte er sich. Aber wenn er etwas aß, was er nicht essen sollte, meldete sich sein Körper sofort, das kannte er schon. Ihm war nicht übel, er musste sich nicht übergeben. Nur dieser Schwindel wollte nicht aufhören.

Dunkelheit. Die Dunkelheit wurde immer größer, wie eine graue Wolke, die ihn einhüllte. Wieder spürte er den Schwindel. Ja, es musste etwas sein, das er gegessen hatte, oder vielleicht ein LSD-Flashback, dachte er. Aber er hatte seit fast fünf Jahren keins mehr genommen. Die Flashbacks waren in den ersten sechs Monaten verschwunden und waren nie wiedergekehrt.

Er hatte Angst, er musste unbedingt das Haus verlassen.

Er öffnete die Tür. Der Schwindel kam und ging, er fürchtete, auf der Straße draußen einen Schwächeanfall zu be-

kommen. Darum würde er besser zu Hause bleiben und abwarten. Da lag immer noch dieser Zettel auf dem Tisch – bald würde sie wieder da sein –, er könnte warten. Sie würden zusammen zur Apotheke oder zum Arzt gehen, obwohl er Ärzte hasste. Niemand hat mit 26 Jahren einen Herzinfarkt.

Niemand.

Er setzte sich aufs Sofa. Er musste sich ablenken, nicht an sie denken, sonst verging die Zeit noch langsamer. Er versuchte, die Zeitung zu lesen, aber der Schwindel kam und ging immer wieder, und jedes Mal war er stärker. Etwas zog ihn in ein schwarzes Loch, das sich mitten im Zimmer aufzutun schien. Er begann, Geräusche zu hören – Gelächter, Stimmen, schepperndes Geschirr. Das war noch nie passiert – niemals! Wenn er Drogen genommen hatte, wusste er immer, dass er high war, dass es sich um eine Halluzination handelte und dass diese nach einer Weile vorbeigehen würde. Doch dies hier – das hier war entsetzlich real.

Doch nein, es konnte nicht real sein. Die Realität, das waren die Teppiche, der Vorhang, das Bücherregal, der Frühstückstisch, auf dem noch Brotreste lagen. Er tat alles, um sich ganz auf das zu konzentrieren, was ihn umgab, aber das Gefühl bestand weiter, dass es vor ihm ein schwarzes Loch gab. Er hörte weiterhin Stimmen, Gelächter.

Das konnte doch einfach nicht sein. Er hatte sechs Jahre lang Magie praktiziert. Alle Rituale gemacht. Er wusste, dass alles nur auf Suggestion, auf psychologischer Wirkung beruhte – dass alles nur ein Spiel mit der Vorstellungskraft war –, nichts weiter.

Seine Panik nahm zu, der Schwindel wurde immer stär-

ker – er zog ihn aus seinem Körper heraus in eine dunkle Welt, zu diesem Gelächter, diesen Stimmen, diesen Geräuschen – die real waren!

›Ich darf keine Angst haben. Angst bewirkt, dass alles zurückkommt.‹

Er versuchte, sich unter Kontrolle zu halten, ging ins Bad und wusch das Gesicht. Er fühlte sich besser, dieses Gefühl schien aufgehört zu haben. Er band seine Turnschuhe zu und versuchte, alles zu vergessen. Er spielte mit dem Gedanken, seinem Partner zu erzählen, dass er in eine Trance gefallen sei und Kontakt mit den Dämonen gehabt habe.

Doch allein bei diesem Gedanken kam der Schwindel zurück – und zwar noch stärker.

›Ich bin gleich wieder da‹, stand auf dem Zettel. Aber sie kam nicht!

›Auf der Astralebene habe ich nie konkrete Ergebnisse erzielt.‹ Er hatte nie etwas gesehen. Weder Engel noch Dämonen, noch die Geister von Toten. »Das Große Tier« hatte in seinem Tagebuch geschrieben, dass er Dinge materialisierte, aber das stimmte nicht, das »Große Tier« war nicht bis dorthin gekommen, er wusste das. »Das Große Tier« hatte versagt. Ihm hatten dessen Ideen gefallen, weil sie rebellisch, chic waren, weil nur wenige Menschen davon gehört hatten. Und die Leute hatten immer mehr Respekt vor jemandem, der Dinge sagte, die keiner verstand. Bei den anderen – Hare Krishna, Kinder Gottes, Satanskirche, Maharishi – machten alle mit. »Das Große Tier« – »Das Große Tier« war nur etwas für die Auserwählten. »Das Gesetz des Stärkeren«, lautete ein Text. »Das Große Tier« war auf dem Plattencover von Sergeant Pepper's Lonely Heart Club Band, der

bekanntesten Platte der Beatles. Vielleicht wussten nicht einmal die Beatles, wen sie da mit aufs Cover genommen hatten.

Das Telefon klingelte. Es könnte seine Freundin sein. Aber wenn sie geschrieben hatte »Ich bin gleich wieder da«, wozu würde sie dann telefonieren?

Was aber, wenn etwas passiert war?

Deshalb kam sie nicht. Der Schwindel kehrte jetzt in kürzeren Abständen zurück, und plötzlich war alles schwarz. Er wusste – irgendetwas sagte es ihm –, dass er sich nicht von diesem Gefühl beherrschen lassen durfte. Etwas Schreckliches könnte geschehen – möglicherweise würde er in diese Dunkelheit eintauchen und nie wieder herauskommen. Er musste unbedingt die Kontrolle über sich behalten – er musste seinen Geist beschäftigen, oder das da würde sich seiner bemächtigen.

Das Telefon. Er konzentrierte sich auf das Telefon. Reden, sich unterhalten, auf andere Gedanken kommen, etwas finden, das ihn von dieser Dunkelheit ablenkte. Das Telefon, das klingelte, war ein Wunder, ein Ausweg. Das wusste er. Er wusste, dass er sich auf gar keinen Fall dem anderen überlassen durfte.

Er musste ans Telefon gehen.

»Hallo?«

Es war eine Frauenstimme, aber nicht die seiner Freundin – es war Argéles.

»Paulo?«

Er schwieg.

»Paulo, hörst du mich? Du musst unbedingt sofort herkommen! Es geschieht hier etwas sehr Eigenartiges!«

»Was ist los?«

»Du weißt es, Paulo! Erklär es mir, um Gottes Willen!«

Er legte auf, noch bevor er hörte, was er nicht hören wollte. Es war keine Spätfolge der Drogen. Es war kein Symptom von Verrücktheit. Es war kein Herzanfall. Es war real.

Er geriet in Panik. Minutenlang dachte er an gar nichts, und die Dunkelheit bemächtigte sich seiner immer mehr. Sie rückte näher, brachte ihn dazu, seinen Fuß an den See des Todes zu setzen.

Er würde sterben – wegen alldessen, was er, ohne daran zu glauben, getan hatte. Wegen all der Menschen, die unwissentlich daran beteiligt worden waren. Wegen all des Bösen, das in der Form von Gutem verbreitet worden war. Er würde sterben, und die Dunkelheit würde weiter existieren. Denn sie offenbarte sich ihm jetzt. Sie zeigte ihm, dass die Magie eben doch funktionierte und dass er den Preis dafür bezahlen musste, dass er sie benutzt hatte. Vorher hatte er von diesem Preis nichts wissen wollen, weil er geglaubt hatte, Magie sei umsonst zu haben, dass alles nur Lüge oder Suggestion sei.

Die Erinnerung an die Jahre in der Jesuitenschule wurde in ihm lebendig, und er bat um die Kraft, es bis zur Kirche zu schaffen, um dort um Vergebung zu bitten, wenigstens Gott bitten zu können, seine Seele zu retten. Er musste es schaffen. Immer, wenn er seinen Verstand beschäftigte, gelang es ihm, den Schwindel etwas unter Kontrolle zu halten. Er brauchte nur ausreichend Zeit, um bis zur Kirche zu kommen … Was für eine lächerliche Idee!

Er blickte zum Bücherregal. Er wollte nachzählen, wie viele Platten er besaß – das hatte er schon immer mal in Er-

fahrung bringen wollen. Ja, das war etwas Wichtiges, die genaue Anzahl seiner Platten zu kennen. Er begann zu zählen: eins, zwei, drei … er schaffte es. Er schaffte es, den Schwindel aufzuhalten und nicht dem schwarzen Loch entgegenzutrudeln, das ihn anzog. Er zählte alle Platten und zählte sie dann noch einmal, um sicherzugehen, dass er richtig gezählt hatte. Jetzt die Bücher. Er musste sie zählen, um zu wissen, wie viele er hatte. Ob er wohl mehr Bücher als Platten besaß? Er begann zu zählen. Der Schwindel hörte auf. Er stellte fest, er hatte viele Bücher. Und Zeitschriften. Und alternative Zeitungen. Er würde alles zählen und danach die Zahl auf einem Blatt Papier notieren, er würde ein genaues Inventar von den Dingen aufstellen, die er besaß. Das war ihm jetzt ungeheuer wichtig.

Er war gerade dabei, in der Küche das Besteck zu zählen, als der Schlüssel sich im Schloss drehte. Da kam sie endlich. Aber er durfte sich nicht ablenken lassen – er konnte über das, was sich abspielte, nicht einmal reden, es würde schon aufhören. Dessen war er sich sicher.

Sie kam direkt in die Küche und umarmte ihn weinend.

»Hilfe … da ist etwas Seltsames. Du weißt, was das ist! Hilf mir!«

Er wollte sich beim Besteck nicht verzählen – das Zählen war seine einzige Rettung. Es galt, den Verstand immer weiter zu beschäftigen. Es wäre besser gewesen, sie wäre nicht gekommen – sie war überhaupt nicht hilfreich. Und sie dachte wie Argéles – dass er alles wusste, dass er wusste, wie man das zum Aufhören brachte.

»Beschäftige deinen Geist!«, schrie er geradezu besessen. »Zähle, wie viele Platten du hast! Und wie viele Bücher!«

Sie schaute ihn verständnislos an. Und ging wie ein Roboter auf das Regal zu.

Aber sie schaffte es nicht bis dorthin. Unvermittelt warf sie sich zu Boden.

»Ich will meine Mama«, sagte sie immer wieder leise. »Ich will meine Mama ...«

Er auch. Er hätte ebenfalls gern seine Eltern angerufen, sie um Hilfe gebeten – seine Eltern, die er nie besuchte, die einer bürgerlichen Gesellschaft angehörten, von der er sich vor langer Zeit losgesagt hatte. Er versuchte, das Besteck weiterzuzählen, aber da war sie, flennte wie ein Kind, raufte ihr Haar.

Das war zu viel. Er trug die Verantwortung für das, was da geschah, denn er liebte sie. Schließlich hatte er ihr doch alle Rituale beigebracht, ihr versprochen, dass sie alles bekommen würde, was sie wollte, dass alles mit jedem Tag besser werden würde, obwohl er selbst keinen einzigen Augenblick daran geglaubt hatte! Jetzt bettelte sie um Hilfe, vertraute ihm – und er wusste nicht, was er machen sollte.

»Hilf du mir!«, flehte er. »Ich weiß nicht, was ich tun soll.«

Daraufhin war er in Tränen ausgebrochen.

Er weinte vor Angst, wie einst als Kind. Genau wie sie sehnte er sich seine Eltern herbei. Er hatte kalte Schweißausbrüche und war überzeugt, dass er sterben würde. Er nahm sie bei der Hand, auch ihre Hände waren eiskalt und ihre Kleidung schweißnass. Er ging ins Badezimmer, um das Gesicht zu waschen – das hatten sie immer getan, wenn die Wirkung der Drogen zu stark gewesen war. Vielleicht funktionierte das auch »bei dem hier«. Der Flur dehnte sich endlos, das »Ding« war jetzt stärker – er konnte jetzt keine Platten, Bücher, Bleistifte, Bestecke mehr zählen. Es gab kein Entkommen mehr.

›Fließendes Wasser.‹

Der Gedanke kam aus einer anderen Ecke seines Hirns, einem Ort, zu dem die Dunkelheit nicht vorzudringen schien. Fließendes Wasser! Ja, es gab die Macht der Finsternis, das Delirium, den Wahnsinn – aber es gab auch andere Dinge!

»Fließendes Wasser«, sagte er, während beide ihr Gesicht wuschen. »Fließendes Wasser vertreibt das Böse.«

Sie spürte die Gewissheit in seiner Stimme. Er wusste es, er wusste alles. Er würde sie retten.

Er drehte die Dusche auf, und sie stellten sich beide darunter – vollständig bekleidet, inklusive Ausweise und Geldscheine. Das kalte Wasser rann über sie, und zum ersten Mal, seit er aufgewacht war, fühlte er eine gewisse Erleichterung. Der Schwindel war verschwunden. Sie blieben ein, zwei, drei Stunden unter dem Wasserstrahl stehen, zitterten vor Angst und Kälte. Er hatte die Dusche nur einmal verlassen, um Argéles anzurufen und sie zu bitten, das Gleiche zu tun. Der Schwindel war zurückgekommen, und er musste sofort wieder unter das fließende Wasser. Unter der Dusche schien alles ruhig zu sein, aber er musste unbedingt begreifen, was hier geschah.

»Ich habe das nie geglaubt«, sagte er.

Sie schaute ihn verständnislos an. Vor zwei Jahren waren sie Hippies ohne einen Pfennig gewesen, und jetzt wurden seine Songs im ganzen Land gespielt. Er war auf der Höhe seines Erfolges – obwohl nur wenige seinen Namen kannten.

Und er sagte, dies sei alles Frucht der Rituale, der okkulten Studien, der Macht der Magie.

»Ich habe das alles nie geglaubt«, fuhr er fort. »Sonst hätte ich mich nicht auf diesen Weg eingelassen! Ich hätte mich nie dieser Gefahr ausgesetzt und dich auch nicht.«

»Tu doch in Gottes Namen etwas!«, sagte sie. »Wir können doch nicht ewig unter der Dusche stehen bleiben!«

Er trat erneut aus der Dusche und spürte wieder den Schwindel, das schwarze Loch. Er ging zum Bücherregal und kam mit der Bibel zurück. Er hatte eine Bibel im Haus – nur um darin die Apokalypse zu lesen, die Gewissheit zu haben, dass es das »Reich des Großen Tieres« gab. Er hatte alles genau so gemacht, wie die Jünger des »Tieres« es befahlen – aber im Grunde hatte er an nichts geglaubt.

»Lass uns zu Gott beten!«, sagte er. Er fühlte sich lächerlich, demoralisiert angesichts der Frau, die er all diese Jahre hatte beeindrucken wollen. Er war schwach, würde sterben, musste Demut zeigen, um Vergebung bitten. Das Wichtigste war jetzt, seine Seele zu retten. Am Ende hatte sich gezeigt, dass alles stimmte.

Er klammerte sich an die Bibel und betete die Gebete, die er als Kind gelernt hatte – das Vaterunser, das Ave-Maria, das Glaubensbekenntnis. Sie zögerte anfangs, stimmte aber bald mit ein.

Dann schlug er aufs Geratewohl die Bibel auf. Das Duschwasser rann über die Seiten, aber er konnte die Geschichte von dem Mann lesen, der Jesus gebeten hatte, seinen fallsüchtigen Sohn zu heilen. Und Jesus sprach zu ihm: »Alle Dinge sind möglich dem, der da glaubt.« Der Mann entgegnete: »Ich glaube, lieber Herr – hilf meinem Unglauben.«

»Ich glaube, lieber Herr – hilf meinem Unglauben«, rief Paulo in das Rauschen des Wassers hinein.

»Ich glaube, lieber Herr – hilf meinem Unglauben«, wiederholte sie schluchzend.

Er begann, sich seltsam ruhig zu fühlen. Auch wenn das entsetzliche Böse, das sie erlebt hatten, wirklich existierte, so gab es auch das Himmelreich und mit ihm all das, was er gelernt und ein halbes Leben lang verleugnet hatte.

»Es gibt das ewige Leben«, sagte er, obwohl er wusste, dass sie seinen Worten nie mehr Glauben schenken würde. »Es macht mir nichts aus zu sterben. Du solltest auch keine Angst vor dem Tod haben.«

»Ich habe keine Angst«, antwortete sie. »Ich habe keine Angst, aber ich finde es ungerecht. Es wäre ein Jammer.«

Sie waren 26 Jahre alt. Es wäre wirklich ein Jammer.

»Wir haben alles erlebt, was jemand in unserem Alter erleben kann«, entgegnete er. »Die meisten haben bei weitem nicht so viel erlebt wie wir.«

»Das stimmt«, sagte sie. »Wir können sterben.«

Er hob den Kopf, und das Rauschen des Wassers in seinen Ohren war laut wie Donner. Er weinte nicht mehr, hatte auch keine Angst mehr. Er zahlte nur den Preis für seine Kühnheit.

»Ich glaube, lieber Herr – hilf meinem Unglauben«, sagte er noch einmal. »Wir wollen einen Tausch machen. Wir bieten etwas für die Rettung unserer Seelen an. Wir bieten unser Leben an oder alles, was wir haben. Nimm es an, Herr.«

Sie schaute ihn voller Verachtung an. Den Mann, den sie so bewundert hatte, den mächtigen, den geheimnisvollen, den mutigen Mann, den sie so bewunderte, der so viele Men-

schen von der ›Alternativen Gesellschaft‹ überzeugt hatte, der eine Welt predigte, in der alles erlaubt war, in der die Starken die Schwachen beherrschten. Dieser Mann stand da und weinte, rief nach seiner Mutter, betete wie ein Kind und sagte, er hätte immer viel Mut gehabt – weil er an nichts glaubte.

Er wandte sich ab, bat sie, mit ihm zusammen in die Höhe zu blicken und den Tausch vorzunehmen. Sie tat es. Sie hatte ihren Mann, ihren Glauben und ihre Hoffnung verloren. Sie hatte nichts mehr zu verlieren.

Dann drehte er den Wasserhahn zu. Jetzt konnten sie sterben, Gott hatte ihnen vergeben.

Aus dem Wasserstrahl wurden Tropfen, dann herrschte vollkommene Stille. Sie waren beide bis auf die Knochen durchnässt und schauten einander an. Der Schwindel, das schwarze Loch, das Gelächter und das Lärmen, all das war verschwunden.

Paulo hatte seinen Kopf in Vahallas Schoß gebettet und weinte. Sie strich ihm mit der Hand übers Haar.

»Ich habe diesen Pakt geschlossen«, sagte er unter Tränen.

»Nein«, entgegnete die Frau. »Es war ein Tausch. Und der Tausch wurde vollzogen.«

Paulo hielt das Medaillon mit dem Erzengel noch fester. Ja, der Tausch war vollzogen worden – und die Strafe war in aller Härte auf dem Fuße gefolgt. Zwei Tage nach jenem Morgen im Jahr 1974 wurden er und seine Freundin von der brasilianischen politischen Polizei festgenommen und wegen der ›Alternativen Gesellschaft‹ der Subversion angeklagt. Er wurde in eine dunkle Zelle gesteckt, die dem schwarzen Tunnel ähnelte, den er in seinem Wohnzimmer gesehen hatte. Er wurde mit dem Tod bedroht, geschlagen, aber es war ein Tausch. Als er aus dem Gefängnis kam, brach er mit seinem Partner und wurde für lange Zeit aus der Musikwelt verbannt. Niemand gab ihm eine Arbeit – aber es war ein Tausch.

Andere aus der Gruppe hatten diesen Tausch nicht gemacht. Sie überlebten das ›schwarze Loch‹ und nannten ihn einen Feigling. Er verlor seine Freunde, seine Selbstsicherheit, seine Lebenslust. Er hatte jahrelang Angst, auf die

Straße zu gehen – der Schwindel könnte wiederkommen, die Polizei könnte wiederkommen. Und, was noch schlimmer war: Nach der Entlassung aus dem Gefängnis hatte er seine Freundin nie wiedergesehen. Manchmal bereute er den Tausch – es war besser zu sterben, als so zu leben. Aber jetzt war es zu spät für eine Umkehr.

»Es gab einen Pakt«, ließ Vahalla nicht locker. »Worin bestand dieser Pakt?«

»Ich habe versprochen, meine Träume aufzugeben«, sagte er. Sieben Jahre lang hatte er den Preis für den Tausch gezahlt, aber Gott war großzügig gewesen und hatte ihm erlaubt, sein Leben neu aufzubauen. Der Direktor des Plattenlabels, ebender, von dem er an jenem Morgen im Mai geträumt hatte, fand einen Job für ihn und wurde zu seinem einzigen Freund. Paulo fing wieder an zu komponieren, aber immer, wenn seine Arbeit Erfolg hatte, geschah etwas, das alles wieder zunichtemachte.

›Wir zerstören, was wir lieben.‹ Ihm fielen J.s Worte ein.

»Ich dachte immer, es wäre ein Teil des Tausches«, sagte er.

»Nein«, entgegnete Vahalla. »Gott war streng. Aber du warst noch strenger mit dir als Er.«

»Ich habe versprochen, nie wieder zu wachsen. Ich dachte, ich könnte mir nicht mehr trauen.«

Die Walküre presste seinen Kopf an sich.

»Erzähl von der Angst!«, sagte sie. »Von deiner Angst, die ich an deiner Seite gesehen habe, als wir uns in der Snack-Bar begegnet sind.«

»Die Angst …« Er wusste nicht, wo er anfangen sollte, denn es kam ihm so vor, als würde er nur Unsinn reden. »Die

Angst lässt mich nachts nicht schlafen und am Tag keine Ruhe finden.«

Chris verstand jetzt, warum ihr Engel darauf bestanden hatte, dass sie mitkam. Sie musste dort sein, alles mitanhören, denn Paulo hätte ihr das alles nie von sich aus erzählt …

»… jetzt habe ich eine Frau, die ich liebe, ich bin J. begegnet, bin den heiligen Jakobsweg gegangen und habe Bücher geschrieben. Ich bin meinen Träumen wieder treu, und das macht mir Angst. Denn alles läuft so, wie ich es wollte, und ich weiß, dass alles bald schon zerstört werden wird.«

Es war schrecklich, das zu sagen. Er hatte es noch nie jemandem eingestanden – nicht einmal sich selber. Ihm war bewusst, dass Chris anwesend war, alles hörte – und er schämte sich.

»So war es auch mit der Musik«, fuhr er fort. Er brachte die Worte nur mühsam heraus. »Und so war es mit allem, was ich seither gemacht habe. Nichts hat länger als zwei Jahre gehalten.«

Er spürte, wie Vahalla ihm das Medaillon vom Hals nahm. Er erhob sich. Er wollte nicht, dass sie die Lampe anmachte, denn er wagte nicht, Chris in die Augen zu sehen.

Aber Vahalla knipste die Taschenlampe an, und die drei machten sich schweigend auf den Rückweg zum Ausgang.

»Wir beide gehen voraus, du kommst hinterher«, sagte Vahalla, als sie das Ende des Tunnels fast erreicht hatten.

Paulo war überzeugt, dass Chris, wie vierzehn Jahre zuvor seine Freundin, ihm nie wieder vertrauen würde.

»Heute glaube ich an das, was ich mache«, versuchte er zu sagen, bevor sich die beiden Frauen entfernten. Der Satz klang bittend, als bettle er um Verzeihung, als wolle er sich rechtfertigen.

Keine der Frauen antwortete. Sie machten noch ein paar Schritte. Dann knipste Vahalla die Taschenlampe aus. Es fiel schon ausreichend Licht herein, um sehen zu können.

»Versprich mir im Namen des Erzengels Michael«, sagte die Walküre, »dass du von dem Augenblick an, an dem du den Fuß nach draußen setzt, nie wieder – NIE WIEDER – die Hand gegen dich selbst erhebst.«

»Ich verspreche es im Namen des Erzengels Michael!«

Die beiden Frauen traten ins Freie. Paulo wartete noch einen Augenblick und machte sich dann ebenfalls auf den Weg. Sie hatten lange genug in der Dunkelheit verbracht.

Die hereinfallenden Sonnenstrahlen wiesen ihm den Weg. Da war eine Gittertür, eine Tür, die in ein verbotenes Reich führte, eine Tür, die ihm Angst machte – denn dort war das Reich des Lichts, und er hatte viele Jahre in der Finsternis gelebt. Eine Tür, die verschlossen aussah, sich aber, wenn man näher kam, als offen erwies.

Die Tür zum Licht lag vor ihm. Er wollte sie durchschreiten. Er konnte die Sonne draußen strahlen sehen. Er beschloss, die Sonnenbrille nicht aufzusetzen. Er brauchte Licht. Er wusste, dass der Erzengel Michael an seiner Seite war, mit seiner Lanze die Dunkelheit vertrieb.

Jahrelang hatte er an die unerbittliche Hand Gottes geglaubt, an seine Strafe. Aber seine eigene Hand und nicht die Hand Gottes hatte so viel Finsternis hervorgerufen. Nie im Leben würde er es wieder tun.

»Ich breche den Pakt«, sagte er zur Finsternis der Mine

und zur Wüste. »Gott hat das Recht, mich zu zerstören. Ich habe dieses Recht nicht.«

Er dachte an die Bücher, die er geschrieben hatte, und war glücklich. Das Jahr würde ohne Probleme zu Ende gehen – denn der Pakt war gebrochen. Es würden gewiss Probleme bei seiner Arbeit, in der Liebe, auf dem Weg der Magie auftauchen – Schwerwiegendes oder Vorübergehendes, wie Vahalla gesagt hatte. Aber von nun an würde er Seite an Seite mit seinem Schutzengel kämpfen.

»Du hast dich wahrscheinlich immer ungeheuer angestrengt«, sagte er zu seinem Engel. »Und am Ende habe ich alles kaputtgemacht, und du warst ratlos.«

Sein Engel hörte ihn. Er wusste auch von dem Pakt und war glücklich, dass er nun seine Kräfte nicht mehr dafür verausgaben musste, Paulo davor zu retten, sich selbst zu zerstören.

Er erreichte die Tür und trat hinaus. Die goldene Sonne blendete ihn, aber er behielt die Augen offen – er brauchte Licht. Er sah Vahalla und Chris auf sich zukommen.

»Lege deine Hand auf seine Schulter!«, sagte die Walküre zu Chris. »Sei seine Zeugin!«

Chris gehorchte.

Vahalla goss ein wenig Wasser aus ihrer Trinkflasche in ihre hohle Hand und zeichnete ein Kreuz auf Paulos Kopf, als wollte sie ihn ein zweites Mal taufen. Dann kniete sie nieder und bat die beiden, es ihr nachzutun.

»Im Namen des Erzengels Michael: Der Pakt wurde vom Himmel anerkannt. Im Namen des Erzengels Michael: Der Pakt wurde gebrochen.«

Sie drückte das Medaillon an Paulos Stirn und bat die anderen, ihre Worte zu wiederholen.

Heiliger Engel des Herrn,
mein unermüdlicher Wächter

Das Kindergebet hallte an den Wänden der Berge wider und breitete sich über diesen Teil der Wüste aus.

Wenn ich dir vertraue,
wird mich die göttliche Barmherzigkeit
ewig führen und über mich wachen,
mich leiten und erleuchten.
Amen.

»Amen«, sagte Chris.

»Amen«, wiederholte er.

Leute kamen neugierig näher. »Das sind Lesben«, sagte jemand.

»Die sind verrückt«, meinte ein anderer.

Die Walküren achteten nicht darauf, sondern fuhren damit fort, ihre Halstücher zu einer Art Seil aneinanderzubinden. Dann setzten sie sich im Kreis auf den Boden. Sie hatten die Arme auf die Knie gestützt und hielten dabei die zusammengeknüpften Tücher.

Vahalla stand in der Mitte. Immer mehr Leute traten hinzu. Als sich eine kleine Menschenmenge versammelt hatte, begannen die Walküren, einen Psalm zu rezitieren:

An den Wassern zu Babel
saßen wir und weinten,
wenn wir Zions gedachten.
Unsere Harfen hingen wir an die Weiden,
die daselbst sind.

Die Leute schauten verständnislos. Diese Frauen waren nicht zum ersten Mal in der Stadt aufgetaucht. Sie waren schon mehrmals da gewesen und hatten merkwürdige Dinge gesagt – die allerdings dem ähnelten, was die Prediger im Fernsehen sagten.

»Habt Mut!« Vahallas Stimme war laut und fest. »Öffnet euer Herz, und hört auf das, was es sagt. Folgt euren Träumen, denn nur ein Mensch, der sich seiner nicht schämt, kann den Ruhm Gottes offenbaren.«

»Die Wüste hat sie verrückt gemacht«, meinte eine Frau. Einige Leute gingen gleich weiter. Sie hatten genug von religiösen Predigten.

»Außer dem Fehlen von Liebe gibt es keine Sünde«, fuhr Vahalla fort. »Habt Mut! Bewahrt euch die Fähigkeit zu lieben, auch wenn die Liebe trügerisch zu sein scheint und Angst macht.

Freut euch an der Liebe. Freut euch am Sieg. Folgt dem, was euer Herz euch sagt.«

»Das ist unmöglich«, sagte jemand in der Menge. »Wir haben Verpflichtungen.«

Vahalla wandte sich in die Richtung, aus der die Stimme gekommen war. Sie hatte die Aufmerksamkeit der Leute gewonnen, sie hörten ihr zu. Anders als vor fünf Jahren, als sie durch die Wüste gewandert waren und ihnen niemand zugehört hatte.

»Da sind die Kinder. Da sind der Ehemann, die Ehefrau. Da ist das Geld, das verdient werden muss«, sagte jemand anderer.

»Erfüllt eure Pflicht. Das ist in Ordnung. Aber Pflichten haben noch nie jemanden daran gehindert, seinen Träumen zu folgen. Vergesst nicht, dass ihr eine Manifestation des Absoluten seid, und macht in eurem Leben nur Dinge, die die Anstrengung wirklich wert sind. Nur diejenigen, die dies tun, werden die großen Veränderungen begreifen, die uns bevorstehen.«

›Die Konspiration‹, dachte Chris, während sie zuhörte. Sie erinnerte sich an die Zeit, in der sie mit den anderen aus ihrer Kirche auf dem großen Platz gesungen hatte, um die Menschen vor der Sünde zu erretten. Damals sprach niemand von einer ›Neuen Zeit‹ – da war von der Wiederkehr Christi, von Strafen und von der Hölle die Rede. Eine ›Konspiration‹ wie die heute hatte es damals nicht gegeben.

Chris ging durch die Menschenmenge und sah Paulo. Er saß etwas abseits auf einer Bank. Sie setzte sich zu ihm.

»Wie lange werden wir mit ihnen reisen?«, fragte sie.

»Bis Vahalla mich gelehrt hat, die Engel zu sehen.«

»Aber wir sind doch schon einen Monat mit ihnen unterwegs.«

»Sie kann sich nicht weigern. Sie hat den Schwur der ›Tradition‹ abgelegt. Sie muss ihn erfüllen.«

Die Menschenmenge wuchs ständig. Chris stellte sich vor, wie schwierig es sein musste, zu all diesen Menschen zu sprechen.

»Sie werden die Walküren nicht ernst nehmen«, meinte sie. »Nicht in diesem Aufzug und mit diesen Pferden.«

»Sie kämpfen für uralte Vorstellungen«, sagte Paulo. »Heute tarnen sich die Soldaten, verkleiden sich, verstecken sich. Doch die Krieger von einst zogen mit bunter auffälliger Kleidung in die Schlacht.

Sie wollten, dass der Feind sie sah. Sie waren stolz auf den Kampf.«

»Warum machen sie das nur? Warum predigen sie auf öffentlichen Plätzen, in Bars, mitten in der Wüste? Warum helfen sie uns, mit den Engeln zu sprechen?«

Paulo zündete sich eine Zigarette an.

»Da bist du wieder mit deinem Spott«, sagte Paulo. »Du machst Witze über die ›Konspiration‹«, sagte er, »aber letztlich hast du recht. Es gibt eine ›Konspiration‹.«

Chris lachte. Nein, diese Konspiration gab es nicht. Sie hatte dieses Wort nur benutzt, weil die Freunde ihres Mannes sich wie Geheimagenten aufführten und ständig aufpassten, dass sie vor anderen nicht über bestimmte Dinge sprachen – obwohl alle Stein und Bein schworen, es gebe in der ›Tradition‹ nichts Okkultes.

Aber Paulo meinte es offenbar ernst.

»Die Pforten des Paradieses wurden wieder aufgetan«, sagte er. »Gott hat den Engel mit dem Feuerschwert, der am Tor stand, abberufen. Eine Zeitlang – niemand weiß genau, wie lange – kann jeder hinein, sofern er begriffen hat, dass die Pforten geöffnet sind.«

Während er mit Chris redete, fiel Paulo wieder die alte verlassene Goldmine ein. Bis zu jenem Tag vor einer Woche war er entschlossen gewesen, vor den Pforten des Paradieses zu bleiben.

»Wie kommt man denn hinein?«, fragte Chris.

»Der Glaube. Und die ›Tradition‹«, war seine Antwort.

Sie gingen zu einem Eisverkäufer und kauften ein Eis. Vahalla sprach noch immer, ihre Rede schien kein Ende zu finden. Bald würden sie dieses merkwürdige Theaterstück aufführen, bei dem sie die Zuschauer mit einbezogen – und erst dann würde die Versammlung enden.

»Wissen alle von den geöffneten Pforten?«, fragte Chris.

»Einige Menschen haben es begriffen – und sagen es weiter. Aber es gibt da ein Problem.«

Paulo deutete auf ein Denkmal in der Mitte des Platzes.

»Angenommen, dort drüben wäre das Paradies. Und jeder Mensch befände sich an einer anderen Stelle dieses Platzes.«

»Dann hätte jeder einen anderen Weg, um dorthin zu gelangen.«

»Deshalb reden die Menschen mit ihrem Engel. Weil nur er den besten Weg kennt. Es bringt nichts, andere Menschen um Rat zu fragen.«

»Folgt euren Träumen, und geht das Risiko ein«, hörte Paulo Vahalla sagen.

»Wie wird diese Welt dann wohl aussehen?«

»Sie wird nur denen gehören, die in das Paradies eingetreten sind«, antwortete Paulo. »Die Welt der ›Konspiration‹, wie du sagst. Die Welt der Menschen, die imstande sind, die Veränderungen in der Gegenwart wahrzunehmen, der Menschen, die den Mut haben, ihren Traum zu leben und ihren Engeln zuzuhören. Eine Welt aller, die an diese Welt glauben.«

Ein Raunen ging durch die Menge. Chris wusste, dass nun das Theaterstück begonnen hatte. Sie wäre gern hingegangen, um zuzuschauen, aber was Paulo gerade sagte, war sehr viel wichtiger.

»Jahrhundertelang haben wir an den Ufern von Babel geweint«, fuhr Paulo fort. »Wir haben unsere Harfen aufgehängt, weil es uns verboten war zu singen, wir wurden verfolgt, getötet, aber wir haben das gelobte Land nie vergessen. Die ›Tradition‹ hat alles überlebt.

Wir haben gelernt zu kämpfen und sind gestärkt aus dem Kampf hervorgegangen. Heute sprechen die Menschen wieder über die spirituelle Welt, die bis vor ein paar Jahren nur etwas für Schwachköpfe zu sein schien. Doch es gibt tatsächlich einen unsichtbaren Faden, der jene verbindet, die sich auf der Seite des Lichts befinden – wie die miteinander verknüpften Halstücher der Walküren. Und dieser unsichtbare Faden bildet ein starkes, strahlendes Seil, das die Engel halten und das empfindsame Menschen spüren und von dem wir uns leiten lassen können. Denn wir sind viele, auf der ganzen Welt verteilt. Vom selben Glauben bewegt.«

»Diese Welt hat immer wieder neue Namen«, sagte sie. »Neue Ära/New Age, Siebter Strahl und so weiter.«

»Aber es ist immer dieselbe Welt. Das garantiere ich dir.«

Chris sah zu Vahalla hinüber, die in der Mitte des Platzes über Engel sprach.

»Und warum versucht sie dann, die anderen zu überzeugen?«, fragte Chris.

»Nein, das tut sie nicht. Wir sind aus dem Paradies gekommen, haben uns über die Erde verteilt und sind dabei, wieder zurückzukehren. Vahalla bittet die Menschen nur, den Preis für diese Rückkehr zu zahlen.«

Chris erinnerte sich an den Nachmittag in der Mine.

»Manchmal ist der Preis sehr hoch.«

»Das mag sein. Aber es gibt Menschen, die bereit sind, ihn zu zahlen. Sie wissen, dass Vahallas Worte die Wahrheit sind, weil sie sie an etwas Vergessenes erinnern. Alle tragen noch Erinnerungen an das Paradies und Bilder davon in sich. Und es vergehen manchmal Jahre, ohne dass diese Erinnerung hochkommt – bis etwas Einschneidendes geschieht: die Geburt eines Kindes, ein schlimmer Verlust, das Gefühl drohender Gefahr, ein Sonnenuntergang, ein Buch, ein Musikstück, eine Gruppe in Leder gekleideter Frauen, die von Gott sprechen. Irgendetwas. Plötzlich erinnern sich die Menschen.«

›Das also macht Vahalla‹, dachte Chris. ›Sie erinnert daran, dass es einen Ort gibt. Einige hören zu und andere nicht – die werden an der Pforte vorbeigehen, ohne sie zu bemerken. Aber sie spricht doch von dieser neuen Welt.‹

»Aber sie spricht über diese neue Welt.«

»Das sind aber nur Worte. Tatsächlich nehmen die Walküren ihre Harfe vom Weidenbaum und spielen sie wieder – und Millionen Menschen auf der ganzen Welt singen wieder von den Freuden des Gelobten Landes. Niemand ist mehr allein.«

Sie hörten Hufgetrappel. Die Darbietung war zu Ende. Paulo ging zum Wagen.

»Warum hast du mir das nie gesagt?«, fragte Chris.

»Weil du es schon wusstest.«

Ja, sie hatte es bereits gewusst. Nur hatte sie sich nicht daran erinnert.

Die Walküren ritten in ihrer Ledermontur und mit ihren Halstüchern auf ihren Pferden von Ort zu Ort. Und sie sprachen von Gott.

Paulo und Chris folgten ihnen. Wenn die Walküren außerhalb eines Ortes kampierten, übernachteten die beiden in einem Hotel. Wenn die Walküren mitten in der Wüste anhielten, schliefen Paulo und Chris im Wagen. Sie zündeten ein Feuer an, und damit war die Wüste nachts nicht mehr gefährlich – die Tiere hielten sich fern. Chris und Paulo betrachteten zum Heulen der Koyoten die Sterne und konnten danach ruhig einschlafen.

Seit dem Nachmittag in der Mine hatte Paulo begonnen, das Channeling zu praktizieren. Er hatte befürchtet, Chris könnte annehmen, er sei nicht in der Lage, das anzuwenden, was er lehrte.

»Ich kenne J.«, sagte sie, als sie auf das Thema zu sprechen kamen. »Du musst mir nichts beweisen.«

»Meine damalige Freundin kannte auch meinen Lehrer«, entgegnete er.

Jeden Nachmittag setzten sie sich nieder und arbeiteten daran, ihr ›zweites Bewusstsein‹ zu zerstören. Sie beteten zu ihren Engeln und baten sie um ihre Gegenwart.

»Ich glaube an diese neue Welt«, sagte er nach einer weiteren Channeling-Übung zu Chris.

»Ich weiß, dass du daran glaubst. Sonst hättest du dein Leben anders gelebt.«

»Dennoch weiß ich nicht, ob ich mich richtig verhalte.«

»Gehe großzügig mit dir selber um«, entgegnete sie. »Du tust dein Bestes – nur wenige Menschen würden so weit reisen, um ihren Engel zu finden. Vergiss nicht, dass du den Pakt gebrochen hast!«

Der in der Mine gebrochene Pakt: J. würde glücklich sein! Obwohl Paulo sich beinahe sicher war, dass J. bereits alles gewusst und ihm deshalb zur Reise in die Wüste geraten hatte.

Wenn sie beide ihre Channeling-Übungen beendet hatten, redeten sie stundenlang über Engel. Aber nur sie beide. – Vahalla hatte das Thema nie wieder angeschnitten.

Nach einem dieser Gespräche suchte Paulo Vahalla auf.

»Du kennst die ›Tradition‹«, sagte er. »Man darf einen einmal begonnenen Prozess nicht unterbrechen.«

»Ich unterbreche ihn doch nicht«, entgegnete sie.

»Aber ich muss bald wieder nach Brasilien zurück. Und vorher muss ich doch noch eine Bitte um Vergebung annehmen. Und eine Wette abschließen.«

»Ich unterbreche den Prozess nicht«, sagte sie noch einmal.

Sie schlug ihm vor, einen langen Spaziergang in der Wüste zu machen. Als sie einen bestimmten Punkt erreicht hatten, setzten sie sich nebeneinander, sahen gemeinsam dem Sonnenuntergang zu und sprachen über Rituale und Zeremonien. Vahalla fragte Paulo nach J.s Lehrmethoden, und Paulo wollte von ihr etwas über die Ergebnisse der Predigten in der Wüste erfahren.

»Ich bereite den Weg«, sagte sie beiläufig. »Ich erfülle meinen Teil und hoffe, ihn bis zum Ende zu erfüllen. Dann werde ich wissen, wie der nächste Schritt aussehen wird.«

»Woher weißt du, wann der Augenblick gekommen ist, damit aufzuhören?«

Vahalla wies zum Horizont.

»Wir müssen die Wüste elf Mal umrunden, elfmal durch dieselben Orte kommen, elfmal dasselbe wiederholen. Das ist alles, was mir gesagt wurde.«

»Hat dein Meister dir das gesagt?«

»Nein. Der Erzengel Michael.«

»Und das wievielte Mal ist das hier?«

»Das zehnte.«

Die Walküre lehnte ihren Kopf an Paulos Schulter, und sie schwiegen lange. Er verspürte den Wunsch, ihr Haar zu streicheln, ihren Kopf in seinen Schoß zu legen, so, wie sie es mit ihm in der verlassenen Mine getan hatte. Sie war eine Kriegerin, aber sie brauchte ebenfalls eine Ruhepause.

Er überlegte eine Weile, ließ es dann sein. Und beide kehrten in das Camp zurück.

Je mehr Tage vergingen, desto überzeugter war Paulo davon, dass Vahalla ihn alles lehrte, was er wissen musste – nur tat sie es wie Took, ohne ihm den Weg direkt zu zeigen. Er beobachtete daraufhin ganz genau, was die Walküren taten – vielleicht konnte er so ja einen neuen Hinweis, eine Lehre, eine neue Übung entdecken. Und als Vahalla ihn wie jeden Tag zu sich rief, um mit ihm den Sonnenuntergang in der Wüste zu betrachten, wagte er, sie darauf anzusprechen.

»Nichts verbietet dir, mich etwas direkt zu lehren«, sagte er. »Du bist keine Meisterin. Du bist nicht wie Took oder J. oder wie ich, die wir beide Traditionen kennen.«

»Doch, ich bin eine Meisterin. Ich habe durch Offenbarungen gelernt. Es stimmt, dass ich weder Kurse gemacht noch an *covens** teilgenommen, noch mich in irgendwelche Geheimgesellschaften eingeschrieben habe. Ich weiß viele Dinge, die du nicht weißt, weil der Erzengel Michael sie mich gelehrt hat.«

»Aus diesem Grunde bin ich hier. Um zu lernen.«

Beide saßen im Sand an einen Felsen gelehnt.

* eine Versammlung von Menschen – Meistern und Schülern – zu rituellen Zwecken (Anmerkung des Autors)

»Ich brauche Zärtlichkeit«, sagte sie. »Ich brauche unbedingt Zärtlichkeit.«

Sie legte ihren Kopf in Paulos Schoß. So saßen sie lange schweigend und schauten zum Horizont.

Paulo brach als Erster das Schweigen. Er sagte es nicht gern, aber es musste sein.

»Du weißt, dass ich bald abreise.«

Er wartete auf eine Reaktion. Sie sagte nichts.

»Ich muss lernen, den Engel zu sehen. Mir kommt es so vor, als würdest du versuchen, es mich zu lehren, aber ich begreife es nicht.«

»Das stimmt nicht, meine Anweisungen sind klar wie die Wüstensonne.«

Paulo streichelte Vahallas rotes Haar.

»Du hast eine schöne Frau«, sagte Vahalla.

Paulo verstand die Anspielung und zog seine Hand zurück.

In jener Nacht erzählte er Chris, was Vahalla über sie gesagt hatte. Chris lächelte und sagte nichts.

Chris und Paulo reisten mit den Walküren weiter. Auch nach Vahallas Bemerkung über die Klarheit dessen, was sie lehrte, beobachtete Paulo weiterhin genau, was die Walküren machten. Aber alles verlief immer gleich: reisen, auf Plätzen sprechen, Rituale durchführen, die er bereits kannte, und weiterziehen.

Und lieben. Sie schliefen mit den Männern, denen sie unterwegs begegneten. Meistens waren es einsame Reisende auf schweren Motorrädern, die genügend Mut hatten, sich der Gruppe zu nähern. Dabei gab es eine ungeschriebene Regel: Vahalla hatte das Recht, als Erste auszuwählen. Interessierte sie sich nicht für den Neuankömmling, durften die anderen Frauen sich ihm nähern.

Die Männer wussten das nicht. Sie hatten das Gefühl, mit der Frau zusammen zu sein, die sie ausgewählt hatten – obwohl die Wahl sehr viel früher getroffen worden war, und zwar von den Frauen.

Die Walküren tranken Bier und redeten über Gott. Sie führten heilige Rituale aus und schliefen zwischen den Felsen mit den Männern. In größeren Orten hielten sie an einem öffentlichen Platz, um das seltsame Theaterstück aufzuführen – das immer das Publikum mit einbezog.

Am Ende baten sie die Zuschauer um eine kleine Spende.

Vahalla selber spielte nie mit – sie leitete die Aufführung, und anschließend machte sie mit ihrem Tuch die Runde. Und ihr gab man immer Geld.

Jeden Nachmittag, bevor Vahalla Paulo zum Spaziergang in der Wüste rief, praktizierten er und Chris Channeling und redeten mit ihren Engeln. Obwohl der Kanal noch nicht vollkommen geöffnet war, spürten sie, wie beständiger Schutz, Liebe und Frieden sie umgaben. Sie hörten Sätze, die keinen Sinn ergaben, hatten die eine oder andere Erleuchtung, häufig jedoch erfüllte sie einfach nur ein Gefühl der Freude – mehr nicht. Aber sie wussten, dass sie mit den Engeln sprachen und dass die Engel darüber glücklich waren.

Ja, die Engel waren glücklich, weil wieder jemand Kontakt mit ihnen aufgenommen hatte. Wem es gelingt, mit seinem Engel zu sprechen, der wird feststellen, dass er es nicht zum ersten Mal tut, sondern bereits als Kind mit ihnen gesprochen hat. Der Engel war bei ihr damals als »unsichtbarer Freund« aufgetreten, mit dem sie lange Gespräche führte, und der, wenn sie spielte, das Böse und die Gefahr von ihr fernhielt.

Alle Kinder sprachen mit ihrem Schutzengel – bis der berühmte Tag kam, an dem die Eltern bemerkten, dass das Kind mit Leuten sprach, die »es nicht gab«. Das beunruhigte sie, sie gaben einem Zuviel an kindlicher Phantasie die Schuld daran, zogen Pädagogen und Psychologen zu Rate und kamen zu dem Schluss, dass das Kind schleunigst damit aufhören sollte.

Die Eltern betonten ihren Kindern gegenüber ständig, dass es diese unsichtbaren Freunde nicht wirklich gab – vielleicht wussten sie nicht mehr, dass sie selber auch einmal mit den Engeln gesprochen hatten. Oder vielleicht dachten sie, dass sie in einer Welt lebten, in der es keinen Platz für Engel gab. Enttäuscht kehrten die Engel dann zu Gott zurück, weil sie wussten, dass sie den Menschen ihre Gegenwart nicht aufdrängen durften.

Doch jetzt brach eine neue Welt an. Die Engel kannten den Ort, an dem sich die Pforten des Paradieses befanden, und führten diejenigen dorthin, die an sie glaubten. Vielleicht mussten die Menschen ja nicht einmal an Engel glauben – es reichte, dass sie sie *brauchten*, und die Engel kamen freudig zurück.

Nachts lag Paulo jetzt lange wach und fragte sich, warum Vahalla sich so verhielt, die Dinge aufschob.

Chris kannte die Antwort. Und die Walküren kannten sie auch – obwohl niemand in der Gruppe je darüber geredet hatte.

Chris wartete auf den Rückschlag. Früher oder später würde er kommen. Deshalb hatte Vahalla sie nicht verlassen, ihnen noch nicht alles über die Begegnung mit dem Engel gesagt.

Eines Nachmittags begannen sich rechts der Straße riesige Berge zu erheben. Kurz darauf waren auch auf der linken Seite Berge, Canyons zu sehen, in deren Mitte sich eine riesige, hell glitzernde Salzpfanne erstreckte.

Chris und Paulo waren im Death Valley, dem Tal des Todes, angekommen.

Die Walküren kampierten in der Nähe von Furnace Creek – dem einzigen Ort in vielen Kilometern Umkreis, an dem Wasser zu bekommen war. Chris und Paulo beschlossen, bei ihnen zu bleiben, weil im einzigen Hotel des Death Valley keine Zimmer mehr frei waren.

In dieser Nacht saß die ganze Gruppe um das Feuer herum, redete über Männer, Pferde und – zum ersten Mal wieder seit vielen Tagen – über Engel. Wie jeden Abend banden die Walküren vor dem Schlafengehen ihre Halstücher zusammen, hielten das dadurch entstandene lange Seil und wiederholten den Psalm über die Flüsse Babels und die in den Weiden hängenden Harfen. Sie rezitierten Psalmen. Aber sie vergaßen nie, dass sie Kriegerinnen waren.

Als das Ritual beendet war, legte sich Stille über das Camp, und alle gingen schlafen. Nur Vahalla nicht.

Sie ließ sich etwas abseits nieder und betrachtete lange den Mond am Himmel. Sie bat den Erzengel Michael, ihr weiter zu erscheinen, ihr die richtigen Ratschläge zu geben und ihr zu helfen, sich ihre Stärke zu bewahren.

»Du hast in allen Kämpfen mit den anderen Engeln gesiegt«, betete sie. *»Lehre mich zu siegen. Damit ich diese Herde aus acht Menschen zusammenhalten kann und damit sie eines Tages Tausende, Millionen zählt. Vergib mir, wenn ich Irrwege gehe, und erfülle mein Herz mit Begeisterung. Gib mir die Kraft, Mann und Frau zugleich zu sein, hart* und *sanft.*

Mein Wort soll deine Lanze sein.

Meine Liebe soll deine Waage sein.«

Sie bekreuzigte sich und schwieg. In der Ferne war das Heulen eines Koyoten zu hören. Sie war nicht müde und begann, über ihr Leben nachzusinnen. Sie dachte an die Zeit, in der es in ihrem Leben nur ihre Anstellung bei der Chase Manhattan Bank, ihren Mann und ihre zwei Kinder gegeben hatte.

»Aber ich habe meinen Engel gesehen«, sagte sie laut in die Stille der Wüste hinein. »Er war ganz in Licht gehüllt und hat mich gebeten, diese Mission zu erfüllen. Er hat mich nicht gezwungen, hat weder gedroht noch Belohnungen versprochen. Er hat mich nur gebeten.«

Am nächsten Tag hatte sie alles aufgegeben und war in die Mojave-Wüste gefahren. Anfangs hatte sie ganz allein gepredigt, von den offenen Pforten des Paradieses gesprochen. Ihr Mann hatte die Scheidung eingereicht und das alleinige Sorgerecht für die gemeinsamen Kinder erhalten. Sie verstand selbst nicht, warum sie diese Mission übernommen hatte, aber immer, wenn sie weinte, weil sie traurig und einsam war, erzählte ihr der Engel von anderen Frauen, die die

Botschaften von Gott erhalten hatten: die Jungfrau Maria, die heilige Teresa, Jeanne d'Arc. Er sagte, dass die Welt vor allem Vorbilder brauche, Menschen, die imstande waren, ihre Träume zu leben und für ihre Ideen zu kämpfen.

Fast ein Jahr lang hatte sie in der Nähe von Las Vegas gelebt. Das Geld, das sie mitgenommen hatte, war schnell verbraucht, sie litt Hunger und schlief im Freien. Bis eines Tages ein Gedicht in ihre Hände fiel.

Es erzählte vom Leben einer Heiligen, Maria von Ägypten. Sie war unterwegs nach Jerusalem gewesen, hatte aber kein Geld für die Überfahrt über einen Fluss gehabt. Der Fährmann hatte die schöne Frau angesehen und gemeint, wenn sie auch kein Geld habe, so habe sie doch ihren Körper. Maria von Ägypten gab sich darauf dem Fährmann hin. Als sie in Jerusalem ankam, erschien ihr ein Engel und segnete ihre Tat. Nach ihrem Tod wurde sie heiliggesprochen, auch wenn sich heute kaum jemand mehr an sie erinnert.

Vahalla hatte in dieser Geschichte ein Zeichen gesehen. Tagsüber hatte sie weiterhin Gottes Wort gepredigt, doch zweimal in der Woche war sie in die Casinos gegangen, hatte reiche Freier gefunden und sich so über Wasser gehalten. Nie hatte sie ihren Engel gefragt, ob sie richtig handle – und er hatte auch kein Wort darüber verloren.

»Es fehlt nur noch eine Runde«, sagte Vahalla laut in die still vor ihr liegende Wüste hinaus. »Es fehlt nur noch eine Runde, dann ist die Mission erfüllt, und ich kann wieder in die Welt zurückkehren. Ich weiß nicht, was mich erwartet, aber ich möchte zurückkehren. Ich brauche Liebe, Zärtlichkeit, brauche einen Mann, der mich beschützt, so, wie mein

Engel im Himmel mich beschützt. Ich habe meinen Teil erfüllt: Ich bereue es nicht, aber es war sehr schwer.«

Sie bekreuzigte sich abermals und kehrte zum Camp zurück.

Als sie dort ankam, bemerkte sie, dass das brasilianische Ehepaar noch immer am Feuer saß und in die Flammen blickte.

»Wie viele Tage fehlen noch, bis vierzig Tage voll sind?«, fragte sie Paulo.

»Elf.«

»Also dann: morgen Abend um zehn im Golden Canyon, dort werde ich dich die Vergebung annehmen lassen. Das Ritual, das die Rituale umstürzt.«

Paulo war verblüfft. Es stimmte! Er hatte die Antwort immer vor seiner Nase gehabt.

»Wie?«, fragte er.

»Durch den Hass«, antwortete Vahalla.

»In Ordnung«, sagte er und versuchte, sich seine Überraschung nicht anmerken zu lassen. Aber Vahalla wusste, dass Paulo im Ritual, das die Rituale umstürzt, noch nie den Hass benutzt hatte.

Sie ließ die beiden am Feuer sitzen und ging zu Rothas Schlafplatz. Sie streichelte sanft über ihr Haar, bis das Mädchen aufwachte – vielleicht redete sie gerade mit den Engeln, die in den Träumen erscheinen.

Schließlich öffnete Rotha die Augen.

»Morgen wirst du lernen, Vergebung anzunehmen«, sagte

Vahalla. »Und bald wirst auch du deinen Engel sehen können.«

»Aber ich bin doch schon eine Walküre.«

»Natürlich. Auch wenn es dir nicht gelingt, deinen Engel zu sehen, wirst du eine Walküre bleiben.«

Rotha lächelte. Sie war 23 Jahre alt und stolz darauf, mit Vahalla durch die Wüste zu ziehen.

»Morgen von Sonnenaufgang bis zum Ende des Rituals, das die Rituale umstürzt, wirst du nicht die Lederkleidung tragen!«

Vahalla umarmte Rotha zärtlich.

»Nun kannst du weiterschlafen«, sagte sie.

Paulo und Chris blieben noch fast eine halbe Stunde am Feuer sitzen. Dann rollten sie ein paar Kleidungsstücke zu einem Kopfkissen zusammen und machten sich zum Schlafen fertig. Sie hatten in jedem Ort, durch den sie gekommen waren, Schlafsäcke kaufen wollen, aber dann doch keine Lust gehabt, in einen Laden zu gehen. Außerdem hofften sie immer überall, ein Hotel zu finden. Daher mussten sie, wenn sie mit den Walküren kampierten, entweder im Wagen oder an der Feuerstelle schlafen. Beiden hatten schon Funken das Haar versengt – aber Schlimmeres war bislang nicht passiert.

»Was wollte sie damit sagen?«, fragte Chris, als beide nebeneinanderlagen.

»Nichts Wichtiges.« Paulo war müde und hatte ein paar Dosen Bier getrunken.

Doch Chris ließ nicht locker. Sie brauchte eine Antwort.

»Alles im Leben ist Ritual«, sagte Paulo. »Für die Schamanen und für diejenigen, die noch nie vom Schamanentum gehört haben. Die einen wie die anderen versuchen immer, ihre Rituale perfekt auszuführen.«

Dass Schamanen Rituale hatten, wusste Chris. Und dass es im normalen Leben ebenfalls welche gab – Hochzeiten, Taufen, Diplomfeiern –, war ihr ebenfalls klar.

»Nein, diese offensichtlichen Rituale meine ich nicht«, fuhr er ungeduldig fort. Er wollte schlafen, doch Chris tat so, als habe sie seinen aggressiven Tonfall nicht bemerkt. »Ich sage, alles ist Ritual. So, wie eine Messe ein großes Ritual ist, das aus verschiedenen Teilen besteht, ist das Leben eines jeden Menschen auch eines.

Ein sorgfältig ausgearbeitetes Ritual, das er versucht, präzise durchzuführen, weil er Angst hat, dass alles in sich zusammenfällt, falls irgendein Teil ausgelassen wird. Der Name dieses Rituals ist Routine.«

Er setzte sich auf. Ihm war wegen des Bieres etwas schwindlig, und im Liegen würde er die Erklärung nicht zu Ende bringen.

»Wenn wir jung sind, nehmen wir nichts wirklich ernst. Aber ganz allmählich verfestigen sich die täglichen Rituale und übernehmen das Kommando. Wenn die Dinge mehr oder weniger so laufen, wie wir es uns vorstellen, wagen wir nicht, das Ritual aufzubrechen und Risiken einzugehen. Wir geben vor, uns zu beklagen, doch die Tatsache, dass ein Tag wie der andere ist, gibt uns zugleich auch Sicherheit. Zumindest gibt es keine unverhofften Gefahren.

Auf diese Weise gelingt es uns, jede Art von innerem Wachstum zu vermeiden, außer dem vom Ritual vorgesehenen – soundso viele Kinder, diese oder jene Beförderungen, dieser oder jener finanzielle Erfolg.

Wenn das Ritual sich verfestigt, wird der Mensch zu dessen Sklaven.«

»Passiert das auch den Schamanen und Magiern?«

»Selbstverständlich. Sie benutzen das Ritual, um mit der unsichtbaren Welt in Kontakt zu treten, um ihr ›zweites Bewusstsein‹ zu zerstören und in die Welt des Außergewöhnlichen einzutreten. Aber auch für uns wird das eroberte Terrain zu etwas Vertrautem. Man muss immer wieder zu neuen Ufern aufbrechen. Doch jeder Magier oder jede Hexe hat Angst, das Ritual zu verändern. Angst vor dem Unbekannten oder Angst vor neuen Ritualen, die möglicherweise nicht funktionieren – das ist eine irrationale, sehr starke Angst, die ohne Hilfe von außen nie verschwindet.«

»Und was ist das ›Ritual, das die Rituale umstürzt‹?«

»Da ein Magier es nicht schafft, seine Rituale zu verändern, hat die ›Tradition‹ beschlossen, den Magier zu verändern. Das geschieht durch eine Art ›Heiliges Theater‹, in dem er eine andere Person spielen muss.«

Paulo legte sich wieder hin, drehte sich auf die Seite und tat so, als würde er schlafen. Vermutlich wollte Chris noch mehr Erklärungen hören – und wissen wollen, wieso die Walküre das Wort »Hass« gebraucht hatte.

Im heiligen Theater wurden niemals negative Gefühle angerufen. Im Gegenteil, die Menschen, die daran teilnahmen, versuchten, mit dem Guten zu arbeiten, starke, erleuchtete Personen darzustellen. Damit konnten sie sich davon überzeugen, dass sie besser waren, als sie dachten, und wenn sie es glaubten, veränderte sich ihr Leben.

Die Arbeit mit negativen Gefühlen würde ihn glauben lassen, er sei schlechter, als er angenommen hatte.

Sie verbrachten den nächsten Tag mit dem Besuch des Golden Canyon, einer Reihe von Schluchten mit etwa sechs Meter hohen Wänden, die in gewundenen Kurven verliefen. Als sie bei Sonnenuntergang die Channeling-Übung machten, wurde ihnen klar, warum der Canyon diesen Namen trug: Tausende von in den Fels eingeschlossenen Mineralien reflektierten die Sonnenstrahlen, was dazu führte, dass die Wände wirkten, als seien sie aus Gold.

»Heute Nacht wird Vollmond sein«, sagte Paulo.

Sie hatten bereits einmal Vollmond in der Wüste erlebt: Es war ein außergewöhnliches Schauspiel.

»Als ich heute Morgen aufwachte, fiel mir eine Passage aus der Bibel ein«, fuhr er fort. »Ein Vers aus dem Prediger Salomo: ›Es ist gut, dass du dies fassest und jenes auch nicht aus deiner Hand lässest; denn wer Gott fürchtet, der entgeht dem allem.‹«

»Ein seltsamer Text«, sagte Chris.

»Sehr seltsam.«

»Mein Engel spricht immer häufiger mit mir. Ich beginne, seine Worte zu verstehen. Ich verstehe jetzt genau, was du in der Mine gemeint hast. Ich hätte nie gedacht, dass ich direkt mit meinem Schutzengel reden könnte.«

Paulo war glücklich darüber. Und sie betrachteten beide

die Dämmerung. Diesmal war Vahalla nicht gekommen, um Paulo zu ihrem gemeinsamen rituellen Spaziergang abzuholen.

Jetzt glitzerten keine Steinchen mehr wie vorhin in der Abendsonne. Der Mond ergoss sein gespenstisches Licht in die Schlucht. Sie konnten die eigenen Schritte im Sand hören, über den sie wortlos gingen und dabei auf das kleinste Geräusch horchten. Sie wussten nicht, wo sich die Walküren versammelt hatten.

Sie gelangten fast bis zum Ende der Schlucht, zu der Stelle, an der sie sich weitete und eine kleine Lichtung bildete. Von den Walküren keine Spur.

Chris brach das Schweigen.

»Vielleicht haben sie es sich anders überlegt.«

Ihr war klar, dass Vahalla dieses Spiel so lange wie möglich in die Länge ziehen würde. Sie selber dagegen hätte es am liebsten sofort beendet.

»Die Tiere haben ihren Bau verlassen«, fuhr sie fort. »Ich habe Angst vor den Schlangen. Lass uns gehen.«

Doch Paulo schaute hoch.

»Sieh mal«, sagte er. »Sie haben es sich doch nicht anders überlegt.«

Chris folgte seinem Blick. Oben auf dem Felsen, der die rechte Wand der Schlucht bildete, war eine Frauengestalt zu sehen, die auf sie herunterschaute.

Chris lief es kalt über den Rücken.

Noch eine Frauengestalt tauchte auf. Und noch eine. Chris trat in die Mitte der Lichtung und entdeckte auf der gegenüberliegenden Seite drei weitere Frauengestalten.

Zwei fehlten.

»Willkommen im Theater!«, hallte Vahallas Stimme zwischen den Wänden. »Die Zuschauer sind schon da und warten auf das Spektakel.«

Mit diesen Worten eröffnete Vahalla immer ihre Darbietungen auf den öffentlichen Plätzen.

›Aber ich spiele doch nicht mit‹, dachte Chris. ›Vielleicht sollte ich zu den Walküren hochsteigen.‹

»Hier wird der Preis am Ausgang bezahlt«, fuhr die Stimme genau wie sonst bei den öffentlichen Darbietungen fort. »Der Preis kann hoch sein, aber vielleicht geben wir das Geld auch zurück. – Willst du das Risiko eingehen?«

»Ja, ich will«, antwortete Paulo.

»Was soll das Ganze?«, rief Chris unvermittelt. »Warum dieses ganze Theater, diese Rituale, so viel Tamtam, um einen Engel zu sehen? Reicht nicht das Channeling, reicht es nicht, mit dem Engel zu reden? Warum macht ihr es nicht wie alle anderen und kommuniziert auf einfache Weise mit Gott und allem, was auf dieser Erde heilig ist?«

Sie erhielt keine Antwort. Paulo fand, dass Chris alles kaputtmachte.

»Ruhe!«, rief Vahalla. »Das Publikum äußert sich erst am Ende! Ob es applaudiert oder buht – den Eintritt zahlt es so oder so!«

Vahalla erschien. Sie trug nach Indianerart ein gelbes Tuch um den Kopf, wie immer wenn sie am Ende des Tages zum Gebet zusammenkamen. Es war ihre Krone.

Sie wurde von einer barfüßigen jungen Frau in einer einfachen Bluse und in Bermudas begleitet. Als die beiden näher kamen und das Mondlicht auf ihre Gesichter fiel, sah

Chris, dass es eine der Walküren war – Rotha, die Jüngste der Gruppe. Ohne ihre Lederkluft und die aggressive Haltung wirkte sie wie ein Kind.

Vahalla stellte die junge Frau vor Paulo hin. Sofort begann sie, ein großes Quadrat um beide in den Sand zu zeichnen. An jeder Ecke hielt sie inne und sprach ein paar Worte auf Latein. Paulo und die junge Frau wiederholten die Worte – die junge Frau vertat sich ein paarmal, und sie mussten noch mal von vorn anfangen.

›Sie weiß gar nicht, was sie sagt‹, dachte Chris. Das Quadrat und die lateinischen Worte gehörten nicht zu dem Stück, das sie auf den Plätzen aufführten.

Als das Quadrat fertig war, bat Vahalla die beiden zu sich an den Rand, blieb selber aber außerhalb stehen.

Dann wandte sie sich Paulo zu, blickte ihm tief in die Augen und überreichte ihm ihre Reitgerte.

»Krieger, du bist durch die Macht dieser Linien und dieser heiligen Namen an dein Schicksal gefesselt. Krieger und Sieger in der Schlacht, du befindest dich in deiner Burg und wirst deine Belohnung empfangen.«

Paulo erschuf im Geiste die Wände der Burg. Von diesem Augenblick an waren die Schlucht, die Walküren, Chris, Vahalla und alles andere unwichtig.

Er war ein Darsteller im ›Heiligen Theater‹. Beim Ritual, das die Rituale umstürzt.

»Gefangene«, sagte Vahalla zu der jungen Frau. »Du hast deine Ehre und dein Heer nicht verteidigen können. Wenn du tot bist, werden die Walküren vom Himmel kommen und deinen Körper holen. Doch bis dahin wirst du die Strafe erhalten, die Verlierer verdienen.«

Unvermittelt zerriss sie die Bluse der jungen Frau.

»Das Stück beginnt! Hier ist deine Trophäe, Krieger!«

Sie stieß die junge Frau gewaltsam zu Paulo hin. Sie stürzte dabei unglücklich und verletzte sich am Kinn. Es blutete.

Paulo kniete sich neben Rotha nieder. Seine Hände umklammerten Vahallas Reitgerte, die eine eigene Kraft zu besitzen schien. Er erschrak, und für wenige Augenblicke verließ er seine imaginäre Burg und kehrte in die Schlucht zurück.

»Sie ist wirklich verletzt«, sagte er. »Sie muss versorgt werden.«

»Krieger, dies ist deine Trophäe!«, wiederholte Vahalla. »Diese Frau kennt das Geheimnis, das du suchst. Entreiße ihr das Geheimnis, oder gib die Suche für immer auf.« Sie wandte sich zum Gehen.

»›Non nobis, Domine, non nobis. Sed nomini Tuo da Gloriam‹ – nicht uns, o Herr, nicht uns, sondern Deinem Namen sei Ehre.« Paulo sprach leise den Wahlspruch der Tempelritter. Er musste schnell eine Entscheidung treffen. Er erinnerte sich an die Zeit, in der er an nichts geglaubt, sondern gemeint hatte, alles sei nur Inszenierung – und dennoch hatte sich alles als wahr herausgestellt.

Ihn erwartete das ›Ritual, das die Rituale umstürzt‹. Ein heiliger Augenblick im Leben eines Magiers.

Und zu seinen Füßen lag eine verletzte junge Frau.

»Sed nomini Tuo da Gloriam«, wiederholte er. Unmittelbar darauf schlüpfte er in die Rolle, die Vahalla ihm zugedacht hatte. In diesem Augenblick gab es für ihn nur noch diesen unbekannten Weg, diese verstörte junge Frau zu seinen Füßen und ein Geheimnis, das er ihr entreißen musste. Er umkreiste sein Opfer, erinnerte sich an die Zeiten, in denen andere moralische Gesetze geherrscht hatten – der Sieger der Schlacht hatte das Recht, die Frauen der Besiegten zu besitzen. Das war der Grund, weshalb Männer in Kriegen ihr Leben riskierten: Gold und Frauen.

»Ich habe gesiegt«, rief er der jungen Frau zu. »Und du hast verloren.«

Er kniete nieder und packte sie an den Haaren. Ihr Blick war fest auf seine Augen gerichtet.

»Am Ende werden *wir* siegen«, sagte die junge Frau. »Wir wissen, wie man siegt.«

Er warf sie heftig zurück auf den Boden.

»Man siegt, wenn man die Gesetze kennt, die einen zum Sieg führen.«

»Ihr glaubt, dass Ihr gewonnen habt«, fuhr die Gefangene fort. »Ihr habt nur eine Schlacht gewonnen. Siegen werden letztlich wir.«

Was nahm sich diese Frau heraus? Ihr Körper war schön – aber das war jetzt zweitrangig. Er musste unbedingt an das Geheimnis kommen, nach dem er schon so lange gesucht hatte.

»Lehr mich, den Engel zu sehen«, sagte Paulo und bemühte sich, ruhig zu klingen. »Und du wirst freigelassen.«

»Ich bin frei.«

»Nein, du kennst die Gesetze des Sieges nicht«, sagte er. »Deshalb haben wir euch geschlagen.«

Die junge Frau schaute ihn verwirrt an. Was meinte der Mann mit den Gesetzen des Sieges?

»Sag mir etwas über diese Gesetze«, verlangte sie. »Und ich werde dir das Geheimnis des Engels verraten.«

Die Gefangene lag dort zu seinen Füßen. Er hätte sie quälen, zerstören können, und dennoch bot sie ihm einen Tauschhandel an.

›Seltsame Frau‹, dachte Paulo, der Krieger. Möglicherweise würde sie unter Folter nichts sagen. Es war besser, auf ihr Angebot einzugehen. Er würde ihr die fünf Gesetze des Sieges verraten, ohnehin würde sie den Ort nicht lebend verlassen.

»Das Gesetz der Moral: Man muss auf der richtigen Seite kämpfen, und weil wir dies tun, werden wir siegen. Das Gesetz der Zeit: Ein Krieg im Regen ist anders als ein Krieg im Sonnenschein, eine Schlacht im Winter anders als eine Schlacht im Sommer.«

Er könnte sie jetzt belügen. Aber es würde ihm nicht gelingen, in so kurzer Zeit falsche Gesetze zu erfinden. Die junge Frau würde sein Zögern bemerken.

»Das Gesetz des Raumes«, fuhr er fort. »Ein Krieg in einer Schlucht ist anders als ein Krieg auf offenem Feld. Das Gesetz der Wahl: Der Krieger weiß auszuwählen, wer ihm Ratschläge erteilen darf und wer im Kampf an seiner Seite stehen wird. Ein Anführer darf sich nicht mit Feiglingen oder Verrätern umgeben.«

Er überlegte kurz, ob er weitermachen sollte oder nicht. Aber er hatte bereits von vier Gesetzen gesprochen.

»Das Gesetz der Strategie«, sagte er schließlich. »Die Art, wie man den Kampf plant.«

Das war alles. Die Augen der jungen Frau funkelten.

»Jetzt erzähl du mir von den Engeln.«

Die junge Frau blickte ihn wortlos an. Auch wenn es ihr

nichts mehr nützen würde, jetzt kannte sie die Formel. Sie konnte in Frieden sterben. Sie hatte die Strafe verdient, die sie erwartete.

»Erzähl mir von den Engeln«, wiederholte der Krieger.

»Nein, ich werde dir nichts von den Engeln erzählen.«

Der Blick des Kriegers veränderte sich, und das freute die junge Frau. Sie hatte befürchtet, dass der Krieger ihr Leben schonen könnte. Das hatte sie nicht verdient. Sie trug Schuld – zigfache, hundertfache im Laufe ihres kurzen Lebens angehäufte Schuld. Sie hatte ihre Eltern enttäuscht, die Männer enttäuscht, die sich ihr genähert hatten. Sie hatte die Krieger enttäuscht, die an ihrer Seite gekämpft hatten. Sie hatte sich gefangen nehmen lassen – sie war schwach. Sie verdiente die Strafe.

»Hass!«, hörten sie die ferne Stimme einer Frau sagen. »Der Sinn des Rituals ist Hass!«

»Wir haben einen Tauschhandel geschlossen«, sagte der Krieger, und diesmal war seine Stimme schneidend wie Stahl. »Ich habe meinen Teil erfüllt.«

»Du wirst mich nicht lebend gehen lassen«, sagte sie. »Wenigstens habe ich bekommen, was ich wollte, auch wenn es mir nichts nützt.«

»Hass!« Die ferne Frauenstimme tat bereits ihre Wirkung. Er ließ zu, dass seine schlimmsten Gefühle hochkamen. Der Hass wuchs im Herzen des Kriegers.

»Du wirst leiden«, sagte er. »Die schlimmsten Qualen, die jemals ein Mensch erlitten hat.«

»Ich werde leiden.«

›Ich verdiene es‹, dachte sie. Sie verdiente den Schmerz, die Strafe, den Tod. Schon als Kind hatte sie sich geweigert zu kämpfen – sie glaubte, sie könnte es nicht, akzeptierte immer, was die anderen wollten, erlitt stumm die Ungerechtigkeiten, deren Opfer sie war. Sie wollte, dass alle begriffen, was für ein guter Mensch sie war, dass sie ein empfindsames Herz besaß, andern helfen konnte. Sie wollte um jeden Preis, dass die anderen sie liebten. Gott hatte ihr ein schönes Leben geschenkt, und sie war außerstande, es zu nutzen.

Stattdessen hatte sie um die Liebe der anderen gebettelt, hatte ihr Leben so gelebt, wie die anderen es von ihr erwarteten – nur um den anderen zu gefallen.

Sie war Gott gegenüber ungerecht gewesen, hatte ihr Leben weggeworfen. Jetzt brauchte sie einen Henker, der sie schnell in die Hölle schickte.

Der Krieger spürte, wie die Reitgerte in seiner Hand zum Leben erwachte. Der Krieger starrte die Gefangene an. Er wartete darauf, dass sie ihre Meinung änderte, um Vergebung bat.

Stattdessen kauerte die Gefangene da und erwartete den Hieb.

Plötzlich war in ihm nur noch die Wut darüber, von einer Gefangenen überlistet worden zu sein. Hass überkam ihn in Wellen, und er entdeckte, dass er zu Grausamkeit fähig war. Er hatte immer versagt, wenn er der Gerechtigkeit zum Sieg verhelfen sollte. Er hatte immer verziehen – aber nicht, weil er ein guter Mensch war, sondern weil er feige war, weil er nicht den Mut aufbrachte, etwas zu Ende zu bringen.

Vahalla schaute zu Chris. Chris schaute zu Vahalla. Das schwache Mondlicht verhinderte, dass sie ihre Blicke genau erkennen konnten, und das war gut so.

Beide hatten Angst zu zeigen, was sie in diesem Augenblick fühlten.

»Um Gottes willen«, rief Vahalla, bevor der Hieb niedersauste.

Der Krieger hielt, die Reitgerte in der Luft, in der Bewegung inne.

Doch der Feind war gekommen.

»Es reicht«, sagte Vahalla. »Es ist genug.«

Paulos Blick war glasig. Er packte Vahalla an den Schultern.

»Ich fühle diesen Hass«, schrie er. »Ich spiele das nicht! Ich habe Dämonen in mir freigelassen, von denen ich nichts wusste.«

Vahalla nahm ihm die Reitgerte aus der Hand und schaute nach, ob Rotha verletzt war.

Die junge Frau hatte das Gesicht auf die Knie gelegt und weinte.

»Alles war echt«, sagte sie, während Vahalla sie umarmte. »Ich habe ihn provoziert, ich habe ihn benutzt, damit er mich straft. Ich wollte, dass er mich zerstört, mich tötet. Meine Eltern gaben immer mir an allem die Schuld und meine Geschwister auch, ich habe im Leben alles verkehrt gemacht.«

»Zieh dir eine neue Bluse an!«, sagte Vahalla.

Sie erhob sich und zupfte die zerrissene Bluse zurecht.

»Ist schon gut«, sagte sie.

Vahalla zögerte einen Augenblick, sagte dann aber nichts. Stattdessen ging sie zur Wand des Canyons und begann hinaufzuklettern. Als sie oben bei den drei Walküren angelangt war, machte sie den anderen ein Zeichen, ihr zu folgen.

Chris, Rotha und Paulo kletterten nun auch schweigend die Wand hinauf. Es war nicht besonders schwierig, weil es im Fels viele Spalten gab, an denen man sich festhalten konnte. Oben angekommen, sahen sie auf eine weite Ebene voller tiefer Einschnitte.

Vahalla bat die junge Frau und Paulo, sich so nah voreinander hinzustellen, dass sie sich berührten.

»Habe ich dir weh getan?«, fragte er Rotha. Er war über sich entsetzt.

Rotha schüttelte den Kopf. Sie schämte sich – sie würde nie werden wie eine der anderen Frauen, die sie umgaben. Sie war schwach.

Vahalla nahm die Halstücher zweier Walküren, verknüpfte sie und legte sie um die Taille des Mannes und der jungen Frau und band beide zusammen. Von ihrem Platz aus konnte Chris sehen, wie der Mond einen Lichthof um beide bildete. Es hätte ein wunderschöner Anblick sein können – wäre nicht dort unten so viel passiert.

»Ich bin unwürdig, meinen Engel zu sehen«, sagte Rotha. »Ich bin schwach, mein Herz ist voller Scham.«

»Ich bin unwürdig, meinen Engel zu sehen«, sagte Paulo, so dass alle es hörten. »Ich habe Hass in meinem Herzen.«

»Mein Herz hat mehrere Frauen geliebt. Und die Liebe der Männer abgewiesen«, sagte Rotha.

»Ich habe jahrelang den Hass in mir genährt und erst lange danach, als alles nicht mehr wichtig war, Rache genommen«, fuhr Paulo fort. »Meine Freunde haben mir immer verziehen, doch ich habe nie gelernt, ihnen zu verzeihen.«

Vahalla wandte sich dem Mond zu.

»Wir sind hier, Erzengel! Der Wille des Herrn geschehe. Unser Erbe sind der Hass und die Angst, die Erniedrigung und die Scham. Dein Wille geschehe, Herr!

Warum reichte es nicht, die Pforten des Paradieses zu schließen? Mussten wir auch die Hölle in unserer Seele tragen? Aber wenn dies dein Wille ist, Herr, dann wisse, dass die ganze Menschheit ihn von Generation zu Generation erfüllt.«

Dann begann Vahalla, die beiden zu umkreisen.

»Vorwort und Begrüßung

Gelobt sei der Herr Jesus Christus, auf ewig sei er gelobt.

Zu Dir sprechen Krieger, die Schuld auf sich geladen haben.

Jene, die immer die besten Waffen, die sie besitzen, gegen sich selber benutzen.

Jene, die sich der Segnungen unwürdig fühlen. Jene, die finden, dass sie dazu geboren wurden, unglücklich zu sein. Jene, die das Gefühl haben, schlechter als die anderen zu sein.

Zu Dir sprechen jene, die zu den Toren der Befreiung gekommen sind, das Paradies gesehen und sich gesagt haben: ›Wir dürfen nicht hinein. Wir verdienen es nicht.‹

Zu Dir sprechen jene, die von anderen verurteilt wurden und fanden, dass dies meist zu Recht geschah.

Zu Dir sprechen jene, die sich selber gerichtet und verurteilt haben.«

Eine der Walküren überreichte Vahalla die Reitgerte, die diese zum Himmel hob.

»Erstes Element: die Luft

Hier ist die Reitgerte. Wenn wir so sind, dann bestrafe uns. Bestrafe uns, weil wir anders sind. Weil wir diejenigen sind, die gewagt haben zu träumen und an Dinge geglaubt haben, an die sonst niemand glaubt.

Bestrafe uns, weil wir in Frage stellen, was ist, was alle hinnehmen und was die meisten nicht verändern wollen.

Bestrafe uns, weil wir vom Glauben sprechen und keine Hoffnung fühlen. Wir sprechen von Liebe und empfangen weder die Zärtlichkeit noch den Trost, den wir zu verdienen glauben. Wir sprechen von Freiheit und sind doch an unsere Schuld gefesselt.

Und dennoch, Herr, auch wenn ich diese Reitgerte so hochhebe, dass sie die Sterne berührt, so würde ich deine Hand dort nicht finden.

Denn sie schwebt über unserem Haupt. Sie liebkost uns und sagt: ›Leidet nicht mehr! Ich habe bereits genug gelitten.‹

Auch ich habe geträumt, an eine neue Welt geglaubt. Ich habe von Liebe gesprochen und zugleich meinen Vater gebeten, den Kelch an mir vorübergehen zu lassen. Ich habe in Frage gestellt, was ist und was die meisten nicht verändern wollen. Ich zweifelte daran, das Richtige zu machen, als ich das erste Wunder tat: Wasser in Wein zu verwandeln, damit ein Fest fröhlich wurde. Ich habe den unnachgiebigen Blick der anderen auf mir gespürt und gerufen: Vater, Vater, warum hast du mich verlassen?

Ich habe Schläge erduldet. Ihr braucht nicht mehr zu leiden.«

Vahalla ließ die Reitgerte zu Boden fallen und streute Sand in den Wind.

»*Zweites Element: die Erde*

Herr, wir sind Teil dieser Welt. Und diese Welt ist voll von unserer Furcht.

Wir werden unsere Sünden in den Sand schreiben, und der Wüstenwind wird sie verwehen.

Bewahre uns unsere feste Hand, und mache, dass wir nicht aufgeben zu kämpfen, auch wenn wir uns des Kampfes unwürdig fühlen!

Benutze unser Leben, nähre unsere Träume! Wenn wir aus Erde gemacht sind, so besteht die Erde auch aus uns. Alles ist eins.

Lehre uns, und benutze uns! Wir sind auf immer Dein.

Das Gesetz wurde auf ein einziges Gebot beschränkt: ›Liebe deinen Nächsten wie dich selbst!‹

Wenn wir lieben, verändert sich die Welt. Das Licht der Liebe vertreibt die Finsternis der Schuld.

Bestärke uns in der Liebe. Mache, dass wir die Liebe annehmen, die Gott uns entgegenbringt!

Zeige uns die Liebe zu uns selber!

Verpflichte uns, die Liebe unseres Nächsten zu suchen! Auch wenn wir Zurückweisung, strenge Blicke, das harte Herz einiger fürchten – mache, dass wir nicht aufgeben, die Liebe zu suchen!«

Eine der Walküren reichte Vahalla eine Fackel. Sie nahm ihr Feuerzeug, entzündete die Fackel und hob sie zum Himmel.

»Drittes Element: das Feuer

Herr, du hast gesagt: Ich bin gekommen, dass ich ein Feuer anzünde auf Erden; was wollte ich lieber, als dass es schon brennte!

Möge das Feuer der Liebe in euren Herzen brennen.

Möge das Feuer der Veränderung in dem brennen, was wir tun.

Möge das Feuer der Läuterung unsere Schuld tilgen.

Möge das Feuer der Gerechtigkeit unsere Schritte lenken.

Möge das Feuer der Weisheit unseren Weg erleuchten.

Möge das Feuer, das Du über die Welt verteilt hast, niemals verlöschen. Es ist wieder da, und wir tragen es in uns.

Die vorangegangenen Generationen haben ihre Sünden an die nachfolgenden Generationen weitergegeben. Und so war es bis hin zu unseren Eltern.

Jetzt aber werden wir die Fackel Deines Feuers vorantragen.

Wir sind Krieger und Kriegerinnen des Lichts und tragen dieses Licht voller Stolz.

Das Feuer, das, als es das erste Mal entzündet wurde, uns unsere Fehler und unsere Schuld gezeigt hat. Wir waren überrascht, erschrocken und fühlten uns unfähig.

Aber es war das Feuer der Liebe. Und als wir es annahmen, verbrannte es das Schlechte in uns.

Es zeigte uns, dass wir weder schlechter noch besser sind als jene, die uns strenge Blicke zuwarfen.

Und deshalb akzeptieren wir die Vergebung. Es gibt keine Schuld mehr, wir können ins Paradies zurückkehren. Und wir werden das Feuer mit uns bringen, das auf Erden brennen wird.«

Vahalla steckte die Fackel in einen Felsspalt. Dann öffnete sie ihre Trinkflasche und goss etwas Wasser auf Paulos und Rothas Kopf.

»Viertes Element: das Wasser

Du hast gesagt: ›Wer aber von dem Wasser trinken wird, das ich ihm gebe, den wird ewiglich nicht dürsten.‹

Nun, wir trinken dieses Wasser. Wir waschen unsere Schuld von uns ab, aus Liebe zur Veränderung, die die Welt erschüttern wird.

Wir werden hören, was die Engel sagen, werden Boten und Botinnen ihrer Worte sein.

Wir werden mit den besten Waffen und mit den schnellsten Pferden kämpfen.

Die Pforte steht offen. Wir sind würdig einzutreten.«

Herr Jesus Christus, der Du zu Deinen Jüngern gesagt hast, ›den Frieden lasse ich euch, meinen Frieden gebe ich euch‹, schau nicht auf unsere Sünden, sondern auf den Glauben, der unsere Versammlung mit Leben erfüllt!«

Chris erinnerten diese Worte an eine Stelle aus dem katholischen Gottesdienst.

»Lamm Gottes, der Du die Sünden der Welt auf Dich nimmst, erbarme Dich unser!«, schloss Vahalla und knüpfte das Halstuch auf, das beide zusammenband.

»Ihr seid frei.«

›Jetzt kommt das bittere Ende‹, dachte Chris. ›Der Eintrittspreis wird am Ausgang gezahlt. Sie ist in ihn verliebt. Wenn die Walküre den Preis sagt, wird er ihn mit Freuden zahlen. Dann werde ich nichts sagen können – denn ich bin eine gewöhnliche Frau, ich kenne die Gesetze der Welt der Engel nicht. Keiner von ihnen sieht, dass ich in dieser Wüste so viele Male gestorben bin und ebenso viele Male geboren wurde. Sie wissen nicht, dass ich mit meinem Engel spreche und dass meine Seele gewachsen ist. Sie glauben nur, mich zu kennen und zu wissen, was ich denke.

Ich liebe ihn. Sie ist nur in ihn verliebt.‹

»Jetzt geht es um mich und dich, Walküre!«

Chris' Schrei hallte durch die unheimliche, vom Mondschein übergossene Wüste.

Vahalla hatte auf diesen Schrei gewartet. Sie hatte die Schuldgefühle bereits hinter sich gelassen, zudem war das, was sie wollte, kein Verbrechen. Nur eine Laune. Sie hatte ein Recht darauf, ihre Launen zu kultivieren – ihr Engel hatte sie gelehrt, dass diese Dinge niemanden von Gott und von der heiligen Aufgabe entfernen, die ein jeder in seinem Leben zu erfüllen hatte.

Sie erinnerte sich daran, wie sie Chris zum ersten Mal in der Snack-Bar der Tankstelle gesehen hatte. Ein Schauer war über ihren Körper gelaufen, und seltsame Vorahnungen, die sie damals nicht verstand, hatten sich ihrer bemächtigt. ›Das Gleiche wird mit ihr geschehen sein‹, dachte sie.

Und Paulo? Was ihn betraf, hatte sie ihre Mission erfüllt. Und er hatte, ohne es zu merken, einen hohen Preis bezahlt – während ihrer Spaziergänge durch die Wüste hatte sie mehrere Rituale gelernt, die J. nur mit seinen Schülern benutzte. Paulo hatte alles verraten.

Sie begehrte ihn durchaus auch als Mann. Nicht um dessentwillen, was er war – sondern um dessentwillen, was er wusste. Eine Laune, und ihr Engel verzieh ihr Launen.

Sie schaute wieder zu Chris und dachte:

›Ich bin auf meiner zehnten Runde. Auch ich muss mich verändern. Diese Frau ist ein Werkzeug der Engel.‹

Ohne den Blick von Chris abzuwenden, sagte die Walküre:

»Das Ritual, das die Rituale umstürzt. Möge Gott uns sagen, was unsere Rolle darin sein soll.«

Chris nahm die Herausforderung an. Der Augenblick, in dem sie wachsen sollte, war gekommen.

Die beiden begannen, um einen imaginären Kreis herumzugehen, so, wie es die Cowboys im Wilden Westen immer vor einem Duell getan hatten. Man hörte keinen Laut – es war so, als wäre die Zeit stehengeblieben.

Fast allen Anwesenden war klar, was sich dort abspielte, denn sie waren Frauen, waren gewohnt, um Liebe zu kämpfen. Und sie würden alle Mittel dafür einsetzen. Sie würden es für die Liebe tun, die ihr Leben und ihre Träume rechtfertigte.

Eine Veränderung vollzog sich. Chris verwandelte sich in die starke Frau, die sie immer bewundert hatte und gern sein würde. Sie zog die Lederkleidung an, band sich das Halstuch um den Kopf, und das Medaillon des Erzengels Michael glänzte auf ihrer Brust. Sie wurde zu Vahalla.

Auf eine Kopfbewegung von Chris hin blieben beide stehen. Vahalla erkannte sich in der anderen wie in einem imaginären Spiegel. Die Kunst der Kriegsführung war ihr in Fleisch und Blut übergegangen, aber die Lektionen der Liebe hatte sie vergessen. Sie kannte die fünf Gesetze des Sieges, schlief mit allen Männern, auf die sie Lust hatte, aber die Kunst der Liebe hatte sie vergessen.

Vahalla sah sich in der anderen Frau widergespiegelt. Sie würde diese andere Frau besiegen können. Doch nun entstand in ihr ebendiese andere Frau, die genauso mächtig war wie sie, aber nicht gewohnt, diese Art von Kampf auszufechten.

Vahalla spürte es ganz deutlich: Sie verwandelte sich in eine liebende Frau, die ihrem Mann folgte, wenn es notwendig war, die sein Schwert trug und ihn vor allen Gefahren schützte. Sie war eine starke Frau, obwohl sie schwach wirkte. Sie war jemand, der den Weg der Liebe als einzig möglichen Weg ging, um zu Weisheit und zu den Mysterien zu gelangen, die sich durch Hingabe und Vergebung offenbarten.

Vahalla wurde zu Chris.

Chris ging langsam auf die Schlucht zu. Vahalla tat es ihr gleich. Beide näherten sich dem Abgrund. Ein Sturz dort hinunter konnte tödlich sein oder schwere Verletzungen nach sich ziehen. Chris blieb am Rand stehen, gab der anderen Zeit, sich neben sie zu stellen.

Der Grund der Schlucht lag in sechs Metern Tiefe und darüber stand in Tausenden von Kilometern Entfernung der Mond. Die beiden Frauen standen sich am Rand der Schlucht gegenüber.

»Er ist mein Mann. Nimm ihn dir nicht einfach aus einer Laune heraus. Du liebst ihn nicht«, sagte Chris.

Vahalla schwieg.

»Ich werde noch einen Schritt tun«, fuhr Chris fort. »Und ich werde überleben. Ich bin eine mutige Frau.«

»Ich werde es auch tun«, sagte Vahalla.

»Tu es nicht! Du kennst jetzt die Liebe. Es ist eine unendlich große Welt, du wirst dein ganzes Leben brauchen, um sie zu begreifen.«

»Ich werde es nicht tun, wenn du es auch nicht tust. Du kennst jetzt deine Kraft. Dein Horizont reicht jetzt bis zu Bergen, Tälern, Wüsten. Deine Seele ist groß, und sie wird immer weiter wachsen. Du hast deinen Mut entdeckt, und das reicht.«

»Es reicht, wenn ich dir beigebracht habe zu dienen, als der Preis, den du einfordern wolltest.«

Langes Schweigen. Plötzlich ging die Walküre auf Chris zu.

Und küsste sie.

»Ich akzeptiere den Preis«, sagte sie. »Danke, dass du es mir beigebracht hast.«

Chris nahm ihre Armbanduhr ab, es war alles, was sie in diesem Augenblick verschenken konnte.

»Danke, dass du es mir beigebracht hast«, sagte sie. »Jetzt kenne ich meine Kraft. Ich hätte sie nie kennengelernt, wäre ich nicht einer seltsamen, schönen und mächtigen Frau begegnet.«

Liebevoll befestigte sie die Uhr an Vahallas Handgelenk.

Die Sonne brannte auf das Tal des Todes herab. Die Walküren banden sich ihre Halstücher vor das Gesicht, ließen nur die Augen frei.

Vahalla kam zu Paulo und Chris.

»Ihr könnt nicht mit uns kommen. Ihr müsst beide euren Engel sehen.«

»Es fehlt noch etwas«, sagte Paulo. »Die Wette.«

»Wetten und Pakte werden mit den Engeln abgeschlossen. Oder mit den Dämonen.«

»Ich weiß immer noch nicht, wie ich meinen Engel sehen soll«, entgegnete er.

»Du hast schon den Pakt gebrochen. Du hast die Vergebung angenommen. Dein Engel wird für die Wette erscheinen.«

Die Pferde der anderen Walküren waren unruhig. Vahalla band nun ebenfalls ihr Tuch vor das Gesicht, bestieg ihr Pferd und wandte sich an Chris.

»Ich werde immer in dir sein«, sagte Chris. »Und du wirst immer in mir sein.«

Vahalla zog ihren Handschuh aus und warf ihn Chris zu. Die Pferde stoben in einer riesigen Staubwolke davon.

Ein Mann und eine Frau waren in der Wüste unterwegs. Mal hielten sie in größeren Städten, dann wieder in kleinen Orten, in denen es nur ein Motel, ein Restaurant und eine Tankstelle gab. Sie sprachen mit niemandem – und gegen Abend gingen sie immer zwischen den Felsformationen spazieren, setzten sich in den Sand, in die Richtung gewandt, in der der erste Stern aufgehen würde. Sie redeten mit ihren Engeln. Sie hörten Stimmen, gaben einander Ratschläge, erinnerten sich an Dinge, von denen sie angenommen hatten, dass sie endgültig an irgendeinem Ort in der Vergangenheit verlorengegangen waren.

Sie war mit dem Schutz und der Weisheit ihres Engels in Verbindung getreten und betrachtete jetzt den Sonnenuntergang in der Wüste.

Er saß weiter da und wartete. Er wartete darauf, dass sein Engel zu ihm herunterkam und sich in seiner ganzen Herrlichkeit zeigte. Er hatte alles richtig gemacht, jetzt blieb ihm nichts anderes übrig, als zu warten.

Er wartete ein, zwei, drei Stunden. Erhob sich erst, wenn es vollkommen dunkel war. Dann nahm er seine Frau bei der Hand, und sie gingen zurück in den Ort.

Sie aßen zu Abend, gingen ins Hotel. Sie tat so, als würde sie schlafen, er blickte ins Leere.

Mitten in der Nacht stand sie auf, ging zu ihm und bat ihn, sich zu ihr zu legen. Sie tat so, als hätte sie schlecht geträumt und deshalb Angst, allein in ihrem Bett zu schlafen. Er legte sich still neben sie.

»Du sprichst bereits mit deinem Engel«, sagte er dann immer. »Ich habe dir beim Channeling zugehört. Du sagst Dinge, die du sonst nicht sagst, weise Dinge – dein Engel ist da.«

Er streichelte ihr über den Kopf und schwieg. Sie fragte sich, ob er traurig war, weil er den Engel nicht sah, oder wegen der Frau, die weggeritten war und die sie beide nie wiedersehen würden.

Doch sie sprach die Frage nicht aus.

Ja, Paulo dachte tatsächlich an diese Frau, die weggeritten war. Doch nicht der Gedanke an sie machte ihn traurig. Seine Zeit in der Wüste war fast zu Ende, und bald würde er wieder zurück in seiner Heimat sein und dort den Mann treffen, der ihm beigebracht hatte, dass es Engel gab.

›Dieser Mann‹, stellte sich Paulo vor, ›wird mir sagen, dass ich genug getan habe, dass ich einen Pakt gebrochen habe, der gebrochen werden musste, dass ich eine Vergebung angenommen habe, die ich schon lange hätte annehmen sollen. Ja, dieser Mann wird mir weiter den Weg der Weisheit und der Liebe zeigen, und ich werde meinem Engel immer näher kommen, tagtäglich mit ihm sprechen, für seinen Schutz danken und um seine Hilfe bitten. Dieser Mann wird mir sagen, ob das genug ist.‹

Ganz bestimmt würde das genug sein, denn J. hatte ihn gelehrt, dass es Grenzen gab. Dass es notwendig war, so weit wie möglich zu gehen – aber, dass man manchmal das Mysterium einfach akzeptieren und begreifen musste, dass jeder seine eigene besondere Gabe hat. Einige konnten heilen, anderen war Weisheit gegeben, wieder andere sprachen mit den Geistern und so fort. Durch die Summe all dieser Gaben konnte Gott seine Herrlichkeit zeigen, indem er den Menschen als sein Werkzeug gebrauchte. Die Pforten des Paradieses standen jenen offen, die beschlossen hatten hineinzugehen. Die Welt lag in den Händen derer, die den Mut hatten zu träumen – und ihre Träume zu leben.

Jeder mit seinem Talent. Jeder mit seiner besonderen Gabe.

Doch das konnte Paulo letztlich nicht trösten. Er wusste, dass Took den Engel gesehen hatte. Dass Vahalla den Engel gesehen hatte. Dass viele andere Menschen Bücher, Geschichten, Berichte hinterlassen hatten, in denen sie davon erzählten, wie sie ihren Engel gesehen hatten.

Nur ihm gelang es nicht, seinen Engel zu sehen.

In sechs Tagen würden sie die Wüste wieder verlassen und sich auf die Rückreise begeben. Sie hielten in einer kleinen Stadt namens Ajo, deren Bevölkerung vor allem aus alten Menschen bestand. Dieser Ort hatte seine beste Zeit erlebt, als die dortige Eisenmine noch in Betrieb war und den Bewohnern Arbeitsplätze, Wohlstand und Vertrauen in die Zukunft gegeben hatte. Doch aus irgendeinem unerfindlichen Grund hatte die Bergwerksgesellschaft die Häuser der ehemaligen Angestellten verkauft und die Mine geschlossen.

»Jetzt sind auch unsere Kinder gegangen«, sagte eine Frau, die sich zu ihnen an den Tisch gesetzt hatte. »Nur die Alten sind zurückgeblieben. Eines Tages wird der Ort verschwinden, und unsere Arbeit, alles, was wir aufgebaut haben, wird bedeutungslos werden.«

Seit langem war niemand Fremdes mehr in die Stadt gekommen. Die alte Frau freute sich, jemanden zu haben, mit dem sie sich unterhalten konnte.

»Der Mensch kommt, baut, hofft, dass das, was er aufbaut, wichtig ist«, fuhr sie fort. »Aber von einem Augenblick zum anderen wird ihm klar, dass er mehr verlangt, als die Erde ihm geben kann. Dann lässt er alles stehen und liegen und zieht weiter, ohne zu bemerken, dass auch andere an der

Verwirklichung seines Traums beteiligt waren – andere, die, weil sie schwächer sind, am Ende zurückbleiben. Wie die Geisterstädte in der Wüste.«

›Vielleicht gilt das ja auch für mich‹, dachte Paulo. ›Ich selber habe mich hierhergebracht, und ich selber habe mich verlassen.‹

Er erinnerte sich daran, wie ihm einmal ein Elefantendompteur erzählt hatte, wie man es schaffte, die Tiere in Gefangenschaft zu halten. Wenn sie noch klein sind, werden sie mit Tauen an einen Pflock gebunden. Sie versuchen wegzukommen, aber es gelingt ihnen nicht, sie versuchen es ihre ganze Kindheit hindurch, aber Pflock und Taue sind stärker als sie.

Dann gewöhnen sie sich an die Gefangenschaft. Und wenn sie groß und stark sind, braucht der Dompteur sie nur an einem Bein anzuketten und die Kette irgendwo zu befestigen – ein kleiner Stein reicht schon –, und sie wagen nicht einmal den Versuch wegzugehen. Sie sind an die Vergangenheit gekettet.

Die langen Stunden des Tages schienen nicht enden zu wollen. Die Sonne brannte vom Himmel, die Erde kochte, und sie mussten warten, warten, warten – bis die Wüste ganz allmählich wieder die sanften ziegelroten und rosa Farben annahm. Dann war der Augenblick gekommen, aus dem Ort herauszugehen und sich wieder einmal im Channeling zu üben und ein weiteres Mal auf den Engel zu warten.

»Jemand hat einmal gesagt, dass die Erde genug hervorbringt, um die Bedürfnisse zu decken, nicht aber, um die Gier zu stillen«, fuhr die Alte fort.

»Glauben Sie an Engel?«

Die alte Frau wunderte sich über die Frage. Aber Engel waren das einzige Thema, über das sich Paulo unterhalten wollte.

»Wenn man alt ist und dem Tod näher kommt, beginnt man, an alles zu glauben«, antwortete sie. »Aber ob ich an Engel glaube, ich weiß nicht recht.«

»Es gibt sie.«

»Haben Sie je einen gesehen?« In ihrem Blick lag eine Mischung aus Ungläubigkeit und Hoffnung.

»Ich spreche mit meinem Schutzengel.«

»Hat er Flügel?«

Das fragten alle. Er hatte vergessen, Vahalla danach zu fragen.

»Ich weiß es nicht, ich habe ihn noch nicht gesehen.«

Die alte Frau blieb eine Weile nachdenklich am Tisch sitzen. Die Einsamkeit in der Wüste ließ die Menschen verrückt werden. Oder aber der Mann machte sich zum Zeitvertreib über sie lustig.

Sie überlegte, ob sie fragen sollte, woher die beiden kamen, was sie in einem Ort wie Ajo suchten. Sie konnte den merkwürdigen Akzent des Mannes nicht einordnen.

›Vielleicht kommen sie ja aus Mexiko‹, dachte sie. Aber sie sahen nicht wie Mexikaner aus. Sie würde fragen, wenn sich eine gute Gelegenheit böte.

»Ich weiß ja nicht, ob Sie sich über mich lustig machen«, sagte sie, »aber, wie gesagt, ich bin meinem Tod nahe. Vielleicht habe ich noch fünf, zehn, zwanzig Jahre, aber in meinem Alter wird uns allen klar, dass wir sterben werden.«

»Auch ich weiß, dass ich sterben werde«, sagte Chris.

»Nein, aber nicht so, wie ein alter Mensch es weiß. Für Sie ist der Tod eine ferne Vorstellung, etwas, das irgendwann passieren kann. Für uns ist es etwas, das morgen passieren kann. Daher verbringen viele alte Menschen die Zeit, die ihnen noch bleibt, damit, nur in eine Richtung zu blicken: zur Vergangenheit. Nicht, weil ihnen die Erinnerungen so lieb sind; aber sie wissen, dass sie dort eben das nicht finden, wovor sie sich am meisten fürchten.

Nur wenige alte Menschen blicken in die Zukunft, und ich gehöre zu diesen wenigen. Der Blick in die Zukunft zeigt uns, was sie tatsächlich für uns bereithält: den Tod.«

Paulo schwieg. Er durfte der Frau nicht erzählen, welches Verhältnis diejenigen, die Magie praktizieren, zum Tode haben. Sie hätte sofort gemerkt, dass er ein Magier war.

»Deshalb wäre es mir lieb zu glauben, dass Sie es ernst meinen. Dass es die Engel wirklich gibt«, fuhr sie fort.

»Der Tod ist ein Engel«, sagte Paulo. »Ich habe ihn schon zweimal in dieser Inkarnation gesehen, aber nur sehr kurz, nicht lange genug, um sein Gesicht zu erblicken. Aber ich kenne Menschen, die ihn schon gesehen haben, und andere, die von ihm fortgetragen wurden und mir später davon erzählt haben. Diese Menschen sagen, dass sein Antlitz schön ist und seine Berührung sanft.«

Die alte Frau starrte Paulo an. Sie wollte es nur allzu gern glauben.

»Hat er Flügel?«

»Er besteht aus Licht«, antwortete er. »Wenn der Augenblick gekommen ist, wird er Ihnen in der Form erscheinen, die es Ihnen leichtmacht, ihn zu empfangen.«

Die alte Frau schwieg eine Weile. Dann erhob sie sich.

»Ich habe nun keine Angst mehr. Ich habe ein stilles Gebet gesprochen und darum gebeten, dass der Todesengel, wenn er zu mir kommt, Flügel hat. Mein Herz sagt mir, dass mir der Wunsch erfüllt werden wird.«

Sie küsste beide. Es war jetzt nicht mehr wichtig zu erfahren, woher sie kamen.

»Mein Engel hat euch geschickt. Vielen Dank.«

Paulo erinnerte sich an Took. Jetzt waren auch Chris und er Werkzeug eines Engels gewesen.

Als die Sonne unterging, machten sie sich zu dem in der Nähe von Ajo gelegenen Berg auf. Sie setzten sich nach Osten gewandt nieder und warteten darauf, dass sich der erste Stern zeigte. Denn dann würden sie mit dem Channeling beginnen.

Sie nannten diese Zeremonie »Betrachtung des Engels«. Es war die erste, die sie geschaffen hatten, nachdem das Ritual, das die Rituale umstürzt, alle anderen weggefegt hatte.

»Ich habe dich nie gefragt, warum du deinen Engel unbedingt sehen willst«, sagte Chris, während sie warteten.

»Aber du hast mir doch schon mehrfach erklärt, dass es für dich keinerlei Bedeutung hat.«

Seine Bemerkung klang ironisch. Sie ging einfach darüber hinweg.

»Also gut. Aber es ist wichtig für dich. Erklär mir, wieso!«

»Das habe ich dir doch schon erklärt. An dem Tag, an dem wir Vahalla getroffen haben«, antwortete er.

»Du brauchst kein Wunder«, ließ sie nicht locker. »Geht es dir darum, eine Laune zu befriedigen?«

»In der spirituellen Welt gibt es keine Launen. Entweder akzeptierst du etwas oder nicht.«

»Na also. Hast du deine Welt etwa nicht akzeptiert? Oder war alles, was du gesagt hast, gelogen?«

›Sie wird sich an die Geschichte in der Mine erinnern‹, dachte Paulo. Es war schwierig zu antworten, aber er würde es versuchen.

»Ich habe bereits Wunder gesehen«, begann er. »Viele Wunder. Wir beide haben sogar schon gemeinsam Wunder gesehen. Wir haben gesehen, wie J. Löcher in Wolken gemacht, die Dunkelheit mit Licht erfüllt und Gegenstände verrückt hat.

Du hast schon erlebt, wie ich Gedanken erraten, Wind hervorgerufen, Rituale der Macht durchgeführt habe. Ich habe mehrfach in meinem Leben gute oder böse Magie funktionieren sehen. Ich zweifle nicht daran, dass es Wunder gibt.«

Er machte eine lange Pause.

»Aber wir gewöhnen uns auch an Wunder. Und wollen mehr davon haben. Der Glaube ist ein schwer zu erringendes Gut, um dessen Erhalt man täglich kämpfen muss.«

Gleich würde der Stern aufgehen, Paulo musste seine Erklärung schnell zu Ende bringen. Doch Chris unterbrach ihn.

»So ist es auch mit unserer Ehe gewesen«, sagte sie. »Und ich bin erschöpft.«

»Das verstehe ich nicht. Ich spreche über die spirituelle Welt.«

»Ich verstehe nur, was du sagst, weil ich deine Liebe kenne«, sagte sie. »Wir sind beide schon lange zusammen. Nach den ersten leidenschaftlichen Jahren ist jeder Tag für mich eine Herausforderung. Es ist schwierig gewesen, die Flamme der Liebe am Brennen zu halten.«

Sie bereute ein bisschen, das Thema angesprochen zu haben, doch jetzt würde sie nicht wieder aufhören.

»Irgendwann hast du mir gesagt, dass es auf der Welt zwei Arten von Menschen gibt: die Ackerbauern – die die Erde und die Ernte lieben – und die Jäger, die den dunklen Wald und die Eroberung lieben. Du sagtest damals, ich gehöre zum Typ des Ackerbauern, wie J. Der den Weg der Weisheit über die Kontemplation findet.«

›Und ich bin mit einem Jäger verheiratet‹, dachte Chris.

Jetzt gab es kein Halten mehr. Hoffentlich ging der Stern nicht gerade jetzt auf.

»Wie schwierig war und ist es, mit dir verheiratet zu sein! Du bist wie Vahalla, wie die Walküren, die niemals Ruhe finden, die zum Leben das starke Gefühl des Jagens, des Risikos, der dunklen Nacht auf ihrer Suche nach Beute brauchen. Anfangs dachte ich, ich könnte damit fertig werden: ausgerechnet ich, die ich mir ein ganz normales Eheleben vorgestellt habe, bin mit einem Magier verheiratet!

Mit einem Magier, dessen Welt von Gesetzen bestimmt wird, die ich nicht kenne. Mit einem Menschen, der glaubt, nur lebendig zu sein, wenn er vor einer Herausforderung steht.«

Sie blickte ihm in die Augen.

»Ist J. ein mächtigerer Magier als du?«

»Er ist viel weiser«, antwortete Paulo. »Er hat mehr Lebenserfahrung. Er folgt dem Weg des Ackerbauern, und auf diesem Weg findet er seine Kraft. Ich werde meine Kraft nur auf dem Weg des Jägers finden.«

»Wieso bist du dann sein Schüler?«

Paulo lachte.

»Aus demselben Grunde, aus dem du mich zu deinem Mann erwählt hast. Weil wir unterschiedlich sind.«

»Vahalla und alle deine Freunde denken nur an die ›Konspiration‹. Nichts sonst ist für sie von Bedeutung. Sie sind auf diese Veränderungen, auf eine neue, sich entwickelnde Welt fixiert. Auch ich glaube an diese neue Welt, aber – verdammt noch mal – warum muss sie auf diese Weise entstehen?«

»Was heißt ›auf diese Weise‹?«

Sie überlegte kurz. Sie wusste nicht genau, warum sie das gesagt hatte.

»Mit ›Konspirationen‹.«

»Diese Bezeichnung hast du erfunden.«

»Aber ich weiß, dass sie stimmt. Und du hast es bestätigt.«

»Ich habe gesagt, dass die Pforten des Paradieses eine Weile jenen offenstehen, die hineingehen wollen. Aber ich habe auch gesagt, dass jeder seinen eigenen Weg hat – und dass nur der Engel sagen kann, welcher der richtige ist.«

›Warum tue ich das nur? Was ist mit mir los?‹, dachte sie.

Ihr fielen Bilder aus der Kindheit ein, auf denen Engel Kinder an den Rand eines Abgrunds führten. Sie war über ihre eigenen Worte verblüfft. Sie hatte schon häufig mit Paulo gestritten, aber noch nie so wie jetzt mit ihm über Magie gesprochen.

Aber in diesen vierzig Tagen in der Wüste war ihre Seele gewachsen, sie hatte das »zweite Bewusstsein« entdeckt, hatte einer machtvollen Frau Paroli geboten. War viele Male gestorben und immer stärker wiedergeboren worden.

›Mir hat das Jagen Spaß gemacht‹, dachte sie.

Ja. Und genau das machte sie verrückt. Denn seit sie Vahalla zum Duell aufgefordert hatte, wurde sie von dem Gefühl beherrscht, ihr Leben vertan zu haben.

›Nein, das kann ich nicht hinnehmen. Ich kenne J., er gehört zu den Ackerbauern und ist ein Erleuchteter. Ich habe schon mit meinem Engel gesprochen, noch bevor es Paulo getan hat. Ich kann genauso gut wie Vahalla mit ihm sprechen – auch wenn seine Sprache etwas unverständlich ist.‹

Trotz allem war sie unruhig. Vielleicht hatte sie, als sie ihre Lebensweise gewählt hatte, die falsche Wahl getroffen.

›Ich muss weiterreden‹, dachte sie. ›Ich muss mich selber davon überzeugen, dass meine Wahl richtig war.‹

»Aber du brauchst noch ein Wunder«, sagte sie, »und wirst immer wieder eines brauchen. Du wirst nie zufrieden sein und wirst niemals begreifen, dass das Himmelreich nicht mit einem Handstreich erobert werden kann.«

(›Gott, mache, dass sein Engel erscheint, denn das ist sehr wichtig für ihn! Mach, dass ich mich irre, Herr!‹)

»Du hast mich nicht zu Wort kommen lassen«, sagte er.

Doch in diesem Augenblick erschien der erste Stern am Horizont.

Die Stunde des Channeling war gekommen.

Nach einer kurzen Entspannungsphase begannen sie, sich auf das ›zweite Bewusstsein‹ zu konzentrieren. Chris ging Paulos letzter Satz nicht aus dem Sinn – sie hatte ihm tatsächlich keine Gelegenheit zu einer Antwort gegeben.

Jetzt war es zu spät. Sie mussten jetzt zulassen, dass das ›zweite Bewusstsein‹ ihre langweiligen Probleme wiederkäute, ihnen ihre ewig gleichen Sorgen zeigte. Das ›zweite Bewusstsein‹ wollte sie an jenem Abend im Herzen treffen. Es sagte, sie habe den falschen Weg gewählt und das erst entdeckt, als sie versucht hatte, Vahalla zu sein.

Das ›zweite Bewusstsein‹ sagte, es sei zu spät, das zu ändern, ihr Leben sei verpfuscht, sie müsse den Rest ihres Lebens damit verbringen, hinter ihrem Mann herzulaufen – ohne dabei die dunklen Wälder und die Suche nach der Beute zu genießen.

Es sagte ihr, dass sie den falschen Mann gewählt habe – es besser gewesen wäre, einen Mann vom Typ Ackerbauer zu heiraten. Das ›zweite Bewusstsein‹ sagte ihr, dass Paulo andere Frauen hatte, dass diese Frauen, die er in Mondnächten und bei geheimen magischen Ritualen traf, dem Jägertyp angehörten. Das ›zweite Bewusstsein‹ ließ nicht locker – aber Chris beschloss, sich nicht auf Diskussionen einzulassen, schweigend zuzuhören, bis das Gerede aufhörte und Stille einkehrte.

Dann legte sich eine Art Nebel über ihre Gedanken. Das Channeling begann. Ein unbeschreibliches Gefühl von Frieden bemächtigte sich ihrer, als würden die Flügel ihres Engels die ganze Wüste bedecken, damit ihr nichts Böses geschah. Beim Channeling spürte sie eine ungeheure Liebe sich selber und dem Universum gegenüber.

Sie hielt die Augen offen, um nicht das Bewusstsein zu verlieren, aber jetzt erschienen ihr Kathedralen. Riesige Kirchen, die sie niemals besucht hatte und die es dennoch irgendwo auf der Welt gab, erhoben sich aus dem Nebel. In den ersten Tagen waren es nur wirre Dinge gewesen, mit sinnlosen Worten vermischte Eingeborenengesänge; doch jetzt zeigte ihr Engel ihr Kathedralen. Das hatte eine Bedeutung, auch wenn sie nicht wusste, welche.

Anfangs hatte sie nur versucht, ein Gespräch zu beginnen, aber mit jedem Tag gelang es ihr besser, ihren Engel zu verstehen. Bald würde sie mit ihrem Engel genauso klar reden können wie mit einem anderen Menschen, der ihre Sprache sprach. Es war alles nur eine Frage der Zeit.

Der Wecker in Paulos Armbanduhr klingelte. Zwanzig Minuten waren vergangen. Das Channeling war vorbei.

Sie schaute Paulo an. Sie wusste, was jetzt geschehen würde: Er würde enttäuscht und traurig schweigen. Der Engel war nicht erschienen. Dann würden sie in ihr kleines Motel in Ajo zurückkehren, und er würde zu einem Spaziergang aufbrechen, während sie versuchte zu schlafen.

Sie wartete darauf, dass er sich erhob, und tat es dann auch. Nur hatte er statt Traurigkeit ein merkwürdiges Leuchten in seinen Augen.

»Ich werde meinen Engel sehen«, sagte er. »Ich weiß, dass ich ihn sehen werde. Ich bin die Wette eingegangen.«

»Die Wette wirst du mit deinem Engel abschließen«, hatte Vahalla gesagt. Sie hatte niemals gesagt, ›Du wirst die Wette mit deinem Engel abschließen, *wenn er erscheint.*‹ Und dennoch hatte er es so verstanden. Eine Woche lang hatte er darauf gewartet, dass der Engel vor ihm erschien. Er war bereit, jede Wette einzugehen, weil der Engel das Licht war und das Licht das Leben des Menschen rechtfertigte. Er vertraute dem Licht so, wie er vierzehn Jahre zuvor der Finsternis vertraut hatte. Im Gegensatz zur verräterischen Erfahrung mit der Finsternis legte das Licht seine Regeln vorher fest, damit derjenige, der sie akzeptierte, wusste, dass er sich zugleich der Liebe und der Barmherzigkeit verpflichtete.

Er hatte zwei Voraussetzungen erfüllt und bei der dritten – der einfachsten – fast versagt! Aber der Schutz des Engels hatte nicht versagt, und während des Channelings... ach, wie gut es war, gelernt zu haben, mit den Engeln zu sprechen! Jetzt wusste er, dass er ihn sehen konnte, denn die dritte Bedingung war erfüllt.

»Ich habe einen Pakt gebrochen. Eine Vergebung angenommen. Und heute habe ich eine Wette abgeschlossen. Ich habe Vertrauen, und ich glaube«, sagte er. »Ich glaube, dass Vahalla weiß, wie man den Engel sehen kann.«

Paulos Augen leuchteten. Es würde keine nächtlichen Spaziergänge und keine Schlaflosigkeit mehr geben. Er war sich absolut sicher, dass er seinen Engel sehen würde. Vor einer halben Stunde hatte er noch um ein Wunder gebeten – aber das war jetzt bedeutungslos.

In dieser Nacht war es Chris, die nicht schlafen konnte und deshalb durch die verlassenen Straßen von Ajo wanderte und Gott darum bat, ein Wunder zu tun, weil der Mann, den sie liebte, unbedingt einen Engel sehen musste. Es war ihr bang ums Herz, banger denn je. Vielleicht wäre ihr ein zweifelnder Paulo lieber gewesen, ein Paulo, der seinen Glauben verloren zu haben schien. Wenn der Engel erschien, war es gut; falls nicht, konnte er immer Vahalla die Schuld geben, es ihm nicht richtig beigebracht zu haben. So würde dies nur eine von vielen anderen bitteren Lektionen sein, die Gott die Menschen gelehrt hat, als er die Pforten des Paradieses schloss: die Enttäuschung.

Doch so war es nicht: Jetzt hatte sie einen Mann vor sich, der sein Leben auf die Gewissheit setzte, dass man Engel sehen konnte. Und seine einzige Garantie war das Wort einer Frau, die zu Pferd durch die Wüste zog und von neuen Welten sprach, die kurz bevorstanden.

Vielleicht hatte Vahalla nie Engel gesehen. Oder vielleicht galt das, was für sie galt, nicht für andere – Paulo hatte das auf dem Platz gesagt! Sollte er seinen eigenen Worten keinen Glauben schenken?

Chris' Herz zog sich immer mehr zusammen, als sie die leuchtenden Augen ihres Mannes sah.

In diesem Augenblick leuchtete sein ganzes Gesicht.

»Licht!«, rief Paulo. »Licht!«

Sie drehte sich um. Am Horizont, nahe der Stelle, an der der erste Stern erschienen war, strahlten drei Lichter am Himmel.

»Licht!«, wiederholte er noch einmal. »Der Engel!«

Chris verspürte den übermächtigen Wunsch, niederzuknien und zu danken, weil ihr Gebet erhört worden war und Gott das Heer seiner Engel schickte.

Paulos Augen füllten sich mit Tränen. Das Wunder war geschehen, er hatte richtig gewettet.

Dann hörte man links einen Knall und einen weiteren über ihrem Kopf. Fünf, sechs strahlende Lichter standen am Himmel, die ganze Wüste war erleuchtet.

Einen Augenblick lang war Chris sprachlos: Sah sie etwa auch ihren Engel? Der Lärm wurde immer stärker, es knallte links von ihnen, über ihren Köpfen, wahnsinnige Donnerschläge, die von allen Seiten kamen – und sich zu der Stelle bewegten, an der die Lichter sich befanden.

Die Walküren! Die wahren Walküren, die Töchter Wotans, die über den Himmel ritten und die Krieger mit sich nahmen! Chris hielt sich voller Angst die Ohren zu.

Sie sah, dass Paulo es ebenfalls tat – und seine Augen leuchteten nicht mehr wie vorher.

Riesige Feuerbälle entstanden am Horizont der Wüste, während sie spürten, wie die Erde unter ihren Füßen bebte. Donnerschläge am Himmel und auf der Erde.

»Lass uns gehen!«, sagte sie.

»Es ist nicht gefährlich«, antwortete er. »Sie sind weit weg, sehr weit weg. Militärflugzeuge.«

Doch die Überschalljäger durchbrachen mit ungeheurem Lärm ganz in ihrer Nähe die Schallmauer.

Die beiden fielen einander in die Arme, blieben lange so stehen, schauten fasziniert und verschreckt diesem makabren Schauspiel zu. Es gab keine Blitze vor den Donnerschlägen, aber sie wussten nun, worum es sich handelte – denn es gab Feuerbälle am Horizont, und diese grünen Lichter (jetzt waren es mehr als zehn) fielen langsam vom Himmel herunter, beleuchteten die ganze Wüste, damit niemand, wirklich niemand sich verstecken konnte.

»Das ist nur ein Kampftraining«, versuchte er, sie zu beruhigen. »Ein Kampfgeschwader der Luftwaffe. Es gibt hier viele Basen.

Ich hatte die Basen bereits auf der Landkarte gesehen«, fuhr Paulo fort und musste schreien, damit Chris ihn hören konnte. »Aber ich wollte lieber glauben, dass es Engel waren.«

›Es sind Werkzeuge der Engel‹, dachte sie. ›Todesengel.‹

Das gelbe Leuchten der am Horizont fallenden Bomben vermischte sich mit den grünen Lichtern, die langsam an Fallschirmen herunterschwebten, damit unten alles sichtbar war und damit die Flugzeuge beim Abwerfen ihrer tödlichen Last keine Fehler machten.

Die Übung dauerte fast eine halbe Stunde. Und so unvermittelt, wie die Donnerschläge gekommen waren, verstummten sie, und Stille kehrte wieder in der Wüste ein. Die letzten grünen Lichter erreichten den Boden und erloschen. Jetzt konnte man wieder die Sterne am Himmel sehen, und der Boden bebte nicht mehr.

Paulo atmete tief durch. Er schloss die Augen und dachte mit aller Kraft: ›Ich habe die Wette gewonnen. Ich darf nicht daran zweifeln, dass ich die Wette gewonnen habe.‹ Sein ›zweites Bewusstsein‹ war wieder zurück und sagte, dem sei nicht so, es sei alles nur Einbildung, sein Engel habe sein Gesicht nicht enthüllt. Doch Paulo presste den Nagel seines Zeigefingers in den Daumen, bis der Schmerz unerträglich war. Schmerz verhindert immer, dass man Unsinniges denkt.

»Ich möchte dich etwas fragen«, sagte Chris.

»Frag mich nicht nach dem Wunder. Es wird geschehen oder eben nicht. Wir wollen keine Energie mit Diskussionen darüber verschwenden.«

»Nein, darum geht es nicht.«

Sie zögerte lange, bis sie etwas sagte. Paulo war ihr Mann. Er kannte sie besser als sonst jemand. Sie hatte Angst vor seiner Antwort, weil seine Worte – wie die eines jeden Ehemannes – ein anderes Gewicht hatten als die anderer Menschen.

Dennoch beschloss sie, ihn zu fragen. Sie hielt es nicht aus, die Frage für sich zu behalten.

»Glaubst du, dass ich mich falsch entschieden habe?«, sagte sie. »Dass ich mein Leben verpfuscht habe, indem ich gesät habe, mich über das Feld gefreut habe, das um mich herum wuchs, anstatt das große Gefühl zu erleben, das die Jagd einem gibt?«

Er schaute, während er ging, zum Himmel. Er dachte noch an die Wette und an die Flugzeuge.

»Ich sehe oft Menschen wie J.«, sagte er schließlich, »die in Frieden mit sich sind und durch diesen Frieden eins mit Gott werden. Ich sehe dich an, die du es vor mir geschafft hast, mit deinem Engel zu sprechen, obwohl ich deswegen hergekommen bin. Ich sehe, wie leicht du einschläfst, während ich ans Fenster trete und mich frage, warum das Wunder, auf das ich warte, nicht geschieht. Und ich frage mich: Habe ich etwa den falschen Weg gewählt?«

Er wandte sich ihr zu.

»Was meinst du? Habe ich den falschen Weg gewählt?«

Chris nahm seine beiden Hände.

»Nein. Sonst wärst du unglücklich.«

»Du auch, wenn du meinen Weg gewählt hättest.«

›Wie gut, das zu wissen‹, dachte sie. ›Das sollte ich nie vergessen.‹

Noch ehe der Wecker klingelte, stand er lautlos auf. Er schaute hinaus: Draußen war es noch dunkel.

Chris schlief unruhig. Für den Bruchteil einer Sekunde überlegte er, sie zu wecken, ihr zu sagen, wohin er ging, sie zu bitten, für ihn zu beten – aber er verwarf es sofort. Er würde ihr alles erzählen, wenn er zurückkam. Außerdem war es da, wohin er unterwegs war, nicht gefährlich.

Er machte im Badezimmer das Licht an, füllte seine Wasserflasche. Dann trank er so viel Wasser, wie er konnte – er wusste nicht, wie lange er draußen bleiben würde.

Er zog sich an, nahm die Landkarte, vergegenwärtigte sich noch einmal seine Route. Dann machte er sich fertig, um zu gehen.

Doch er fand den Autoschlüssel nicht. Er suchte in seinen Taschen, im Rucksack, auf dem Nachttisch. Er überlegte noch, ob er die Lampe anknipsen sollte – doch das war zu riskant, er könnte Chris aufwecken, das Licht aus dem Badezimmer war ausreichend. Er durfte keine Zeit mehr verlieren – jede Minute, die er hier verbrachte, war eine Minute weniger, die er auf seinen Engel warten konnte. In vier Stunden würde die Wüstensonne unerträglich sein.

›Chris hat den Schlüssel versteckt‹, dachte er. Sie war jetzt eine andere Frau, redete mit ihrem Engel, ihre Intuition war entschieden gewachsen. Vielleicht hatte sie ja seine Pläne herausbekommen – und hatte Angst.

›Warum sollte sie Angst haben?‹ Nachts, als er sie mit Vahalla am Rande des Abgrunds hatte stehen sehen, hatten beide einen heiligen Schwur getan: niemals mehr in dieser Wüste ihr Leben aufs Spiel zu setzen. Der Todesengel war mehrfach ganz nah an ihnen vorbeigekommen, und es war nicht ratsam, die Geduld des Schutzengels zu oft auf die Probe zu stellen. Chris kannte ihren Mann gut genug, um zu wissen, dass er sein Versprechen nicht brechen würde. Deshalb ging er kurz vor Sonnenaufgang – um die Gefahren der Nacht und die Gefahren des Tages zu meiden.

Und dennoch hatte sie Angst und hatte den Schlüssel versteckt.

Er ging, entschlossen, sie zu wecken, zum Bett. Und blieb stehen. Ja, es gab einen Grund. Es war nicht die Sorge um seine Sicherheit, wegen möglicher Gefahren, in die er geraten könnte. Es war Angst, aber eine ganz andere Angst – die Angst, dass ihr Mann eine Niederlage erleiden könnte. Sie wusste, dass Paulo alles versuchen würde. Ihnen blieben noch genau zwei Tage in der Wüste.

›Es war gut, dass du diese Vorsichtsmaßnahme getroffen hast, Chris‹, dachte er und lachte in sich hinein. ›Es würde gut zwei Jahre dauern, bis ich eine Niederlage wie diese vergessen würde, und in dieser Zeit müsstest du mich ertragen, schlaflose Nächte mit mir verbringen, meine schlechte Laune erdulden, meine Frustration aushalten. Es würde viel schlimmer werden als die paar Tage, die ich gebraucht habe, um herauszufinden, wie die Wette aussehen würde.‹

Er durchstöberte ihre Sachen: Der Schlüssel war in dem

Gürtel, in dem sie ihren Pass und ihr Geld verwahrte. Da fiel ihm das Versprechen ein, das sie ihm abgefordert hatte: sich nicht unnötig in Gefahr zu begeben. All das könnte eine Warnung sein. Er hatte gelernt, dass niemand in die Wüste hinausging, ohne wenigstens Bescheid zu sagen, wohin er ging. Selbst wenn man wusste, dass man schnell wieder zurück sein würde, selbst wenn man wusste, dass der Ort nicht weit entfernt lag (selbst wenn der Wagen eine Panne hatte, könnte er zu Fuß zur Straße zurückkommen), beschloss er doch, kein Risiko einzugehen. Schließlich hatte er einen Schwur getan.

Er legte die Landkarte aufs Waschbecken. Und zog mit dem Rasierschaum einen Kreis um eine Stelle: Glorieta Canyon.

Mit dem Rasierschaum schrieb er dann auch noch an den Spiegel: ICH WERDE KEINEN FEHLER MACHEN. Dann zog er seine Turnschuhe an und ging hinaus.

Als er den Wagen starten wollte, stellte er fest, dass der Schlüssel im Schloss steckte.

›Sie scheint einen Zweitschlüssel angefertigt zu haben‹, dachte er. ›Was hat sie sich wohl dabei gedacht? Dass ich sie mitten in der Wüste zurücklassen würde?‹

Da fiel ihm Tooks seltsames Verhalten ein, als er die Taschenlampe im Wagen vergessen hatte. Weil er den Schlüssel gesucht hatte, war ihm eingefallen, die Angabe über den Ort, den er aufsuchen wollte, zurückzulassen. Sein Engel tat wirklich alles, damit er alle nur erdenklichen Vorsichtsmaßnahmen traf!

Die Straßen von Borrego Springs waren verlassen. ›Nicht viel anders als am Tag‹, dachte Paulo. Er erinnerte sich an die erste Nacht, die sie da verbracht hatten, wie sie sich in der Wüste auf den Boden gelegt und sich ihre Engel vorgestellt hatten. Damals war es ihm nur darum gegangen, mit ihnen zu sprechen.

Er bog nach links ab, verließ die Stadt und fuhr in Richtung Glorieta Canyon. Die Berge lagen links von ihm – die Berge, die sie beide im Wagen hinuntergefahren waren, nachdem sie herausgefunden hatten, dass die Wüste unvermittelt, ohne Vorwarnung anfing. ›Damals‹, dachte er und machte sich bewusst, dass seitdem gar nicht so viel Zeit vergangen war. Gerade 38 Tage!

Aber auch seine Seele war wie die von Chris viele Male in dieser Wüste gestorben. Er war hinter einem Geheimnis her, das er bereits kannte. Er hatte gesehen, wie sich die Sonne in die Augen des Todes verwandelt hatte, war Frauen begegnet, die wie Engel und Dämonen zugleich wirkten. Er war in die Finsternis zurückgekehrt, die er glaubte, vergessen zu haben. Er hatte herausgefunden, dass er, obwohl er so viel von Jesus gesprochen hatte, dessen Vergebung nie akzeptiert hatte.

Er war auch seiner Frau begegnet – genau in dem Augenblick, als er glaubte, sie für immer verloren zu haben. Denn (und das durfte Chris niemals erfahren) er hatte sich in Vahalla verliebt.

Und dann hatte er den Unterschied zwischen Verliebtheit und Liebe begriffen. Wie das Reden mit den Engeln war auch das ganz einfach.

Vahalla war Teil der Welt seiner Phantasien, die kriegerische Frau, die Jägerin, die mit den Engeln sprach und immer bereit war, sich Gefahren zu stellen, um ihre eigenen Grenzen zu überschreiten. Paulo war für sie der Mann gewesen, der den Ring der Mondtradition trug, der Magier, der okkulte Mysterien kannte, der Abenteurer, der imstande war, alles aufzugeben und auf die Suche nach den Engeln zu gehen. Und sie würden immer voneinander fasziniert sein – solange jeder genau das blieb, was sich der andere vorstellte.

Das war Verliebtheit: sich das Bild eines anderen schaffen, ohne ihm zu sagen, wie dieses Bild aussieht.

Doch eines Tages, wenn sie durch ihre Vertrautheit ihre wahre Identität entdecken würden, sähen sie hinter dem Magier und der Walküre einen Mann und eine Frau. Mit besonderen Kräften, vielleicht, oder mit besonderem Wissen, aber letztlich – dieser Realität würden sie nicht entkommen – einen Mann und eine Frau. Mit dem Leiden, der Ekstase, der Kraft und der Schwäche aller anderen Menschen.

Und wenn einer von ihnen zeigen würde, wie er wirklich war, würde der andere sich entfernen, denn es würde die Zerstörung der Welt bedeuten, die sie sich geschaffen hatten.

Er hatte die Liebe entdeckt, als zwei Frauen sich am Rand eines Abgrunds mit Blicken maßen, während hinter ihnen ein riesiger Mond schien. Liebe hieß, die Welt mit dem anderen Menschen teilen. Eine der beiden Frauen kannte er gut. Er teilte sein Universum mit ihr. Sie schauten auf dieselben Berge, dieselben Bäume, obwohl jeder sie auf seine Weise sah. Er kannte ihre Schwächen, ihre Augenblicke des Hasses, der Verzweiflung, und dennoch stand er an ihrer Seite.

Sie teilten dasselbe Universum. Auch wenn er oft das Gefühl hatte, dass es in diesem Universum schon keine Geheimnisse mehr gab, hatte er in jener Nacht im Tal des Todes herausgefunden, dass er sich getäuscht hatte.

Er hielt an. Vor ihm führte eine Schlucht in die Berge hinein. Er hatte diesen Ort nur wegen des Namens ausgesucht – schließlich waren die Engel immer und überall auf der Welt anwesend. Er sprang aus dem Wagen, trank noch etwas Wasser aus einem großen Gefäß, das er im Kofferraum hatte, und hängte sich seine Wasserflasche an den Gürtel.

Er dachte noch an Vahalla und Chris, als er auf die Schlucht zuging. ›Ich glaube, ich werde mich noch oft verlieben‹, sagte er sich. Doch der Gedanke machte ihm keine Schuldgefühle. Sich verlieben war etwas Gutes, Lustiges, das das Leben bereichern konnte.

Aber es war etwas anderes als Liebe. Und die Liebe ist jeden Preis wert und verdient nicht, gegen etwas anderes eingetauscht zu werden.

Er hielt am Eingang der Schlucht inne und schaute in das vor ihm liegende Tal. Der Horizont begann, sich rot zu färben. Er erlebte zum ersten Mal den Sonnenaufgang in der Wüste. Selbst wenn sie unter freiem Himmel geschlafen hatten, war er immer erst aufgewacht, wenn die Sonne schon hoch am Himmel stand.

›Was für ein großartiges Schauspiel!‹, dachte er. Die Gipfel der Berge in der Ferne begannen zu strahlen, und rosa Licht überflutete das Tal, die Steine, die kleinen Pflanzen, die fast ohne Wasser der Wüste trotzten. Er betrachtete die Szenerie.

Ihm fiel das Buch ein, das er vor kurzem in Brasilien veröffentlicht hatte, in dem der Hirte Santiago in einem bestimmten Augenblick auf einen Berg steigt und die Wüste betrachtet. Einmal abgesehen davon, dass er sich nicht auf dem Gipfel eines Berges befand, überraschte ihn, wie ähnlich er das alles vor acht Monaten beschrieben hatte. Und erst jetzt fiel ihm der Name der Stadt in den Vereinigten Staaten ein, in der sie aus dem Flugzeug gestiegen waren:

Los Angeles. Was auf Spanisch »die Engel« hieß.

Aber jetzt war nicht der Augenblick, um über die Zeichen am Weg nachzudenken.

»Dies ist dein Antlitz, mein Schutzengel«, sagte er laut. »Ich sehe dich. Du hast immer vor mir gestanden, und ich habe dich nie erkannt. Ich höre deine Stimme jeden Tag deutlicher. Ich weiß, dass es dich gibt, weil überall auf Erden von dir gesprochen wird.

Ein Mensch oder eine ganze Gesellschaft können sich vielleicht irren. Aber alle Gesellschaften, alle Zivilisationen überall auf diesem Planeten haben immer von Engeln gesprochen. Heute hören nur die Kinder, die Alten und die Propheten die Engel. Dennoch werden die Menschen auch in kommenden Jahrhunderten von Engeln sprechen, da es immer Propheten, Kinder und alte Menschen geben wird.«

Ein blauer Schmetterling flatterte vor ihm her. Es war sein Engel, der ihm antwortete.

Der Schmetterling flog hin und her. Chris und er hatten verschiedene weiße Schmetterlinge in der Wüste gesehen – doch dieser hier war blau. Sein Engel war zufrieden.

»Und ich habe eine Wette abgeschlossen. Damals in der Nacht, hoch oben auf dem Berg, habe ich um meinen ganzen Glauben an Gott, mein Leben, meine Arbeit, um J., um alles gewettet, was ich habe. Ich habe gewettet, dass du dich zeigen würdest, wenn ich die Augen öffne. Ich habe mein ganzes Leben in eine Waagschale gelegt. Ich habe dich gebeten, dein Antlitz in die andere zu legen.

Und als ich die Augen öffnete, hatte ich die Wüste vor mir. Einen Augenblick lang glaubte ich, verloren zu haben. Doch dann – ach, wie glücklich war ich da! –, dann hast du gesprochen.«

Ein feiner Lichtstreifen erschien am Horizont. Die Sonne ging auf.

»Erinnerst du dich an das, was du gesagt hast? ›Blicke um dich, und du siehst mein Gesicht. Ich bin der Ort, an dem du dich gerade befindest. Am Tag wird mein Umhang dich mit den Strahlen der Sonne bedecken, nachts mit dem Glitzern der Sterne.‹ Und ich habe deine Stimme deutlich gehört!

Und außerdem hast du gesagt: ›Wann immer du mich brauchst!‹«

Sein Herz war voller Freude. Er würde auf den Sonnenaufgang warten. An diesem Morgen das Antlitz seines Engels lange betrachten. Dann würde er Chris von seiner Wette erzählen. Und sagen, dass es einfacher war, den Engel zu sehen, als mit ihm zu sprechen! Es reichte zu glauben, dass es Engel gibt, es reichte, wenn man die Engel brauchte. Und sie zeigten sich, strahlend wie die Morgensonne. Und sie halfen, erfüllten ihre Aufgabe, zu beschützen und zu leiten, damit jede Generation ihre Gegenwart an die nächste Generation weitergab – damit sie niemals vergessen wurden.

›Schreib etwas!‹, hörte er eine Stimme in seinem Kopf sagen.

Eigenartig. Er war doch gar nicht beim Channeling – er betrachtete doch nur das Antlitz seines Engels.

Dennoch verlangte etwas in ihm, dass er schrieb. Er versuchte, sich auf den Horizont und auf die Wüste zu konzentrieren, aber es gelang ihm nicht mehr.

Er ging zum Wagen, holte einen Block und einen Kugelschreiber. Er hatte bereits Erfahrungen mit Psychographie gemacht, es dabei aber nicht weit gebracht. J. hatte ihm gesagt, dass dies nichts für ihn sei und dass er seine wahre Gabe suchen müsse.

Paulo setzte sich in den Sand, hielt den Kugelschreiber zwischen den Fingern und versuchte, sich zu entspannen. Bald würde der Kugelschreiber sich von allein bewegen, ein paar Striche ziehen, und dann würden die Worte auftauchen. Dazu musste er das Bewusstsein ausschalten, zulassen, dass ein Geist oder ein Engel ihn besaß.

Er gab sich ganz hin und akzeptierte, nur Werkzeug zu sein. Aber nichts geschah. ›Schreib etwas!‹, hörte er wieder die Stimme in seinem Kopf.

Er erschrak. Kein Geist würde in ihn fahren. Er war beim Channeling, ohne es zu wollen – als wäre sein Engel dort und redete mit ihm.

Er hielt den Kugelschreiber jetzt anders – ganz fest.

Die Worte erschienen klar und deutlich. Und er kopierte, ohne nachzudenken:

Um Zions willen will ich nicht schweigen,
und um Jerusalems willen will ich nicht innehalten,
bis dass ihre Gerechtigkeit aufgehe wie ein Glanz
und ihr Heil entbrenne wie eine Fackel.

So etwas war noch nie passiert. Er hörte eine Stimme in sich, die die Worte diktierte:

Und du sollst mit einem neuen Namen genannt werden,
welchen des HERRN Mund nennen wird.
Und du wirst sein eine schöne Krone in der Hand des HERRN und ein königlicher Hut in der Hand deines Gottes.

Man soll dich nicht mehr die Verlassene
noch dein Land eine Verwüstung heißen;
sondern du sollst »Meine Lust an ihr«
und dein Land »Liebes Weib« heißen.

Er versuchte, mit der Stimme zu sprechen. Er fragte, wem er dies sagen solle.

›Dies wurde bereits gesagt‹, entgegnete die Stimme. ›Es wird nur erinnert.‹

Paulo spürte einen Knoten in der Kehle. Das war ein Wunder, und er dankte dem Herrn.

Die goldene Sonnenscheibe erschien ganz allmählich am Horizont. Er legte Block und Kugelschreiber zur Seite, erhob sich und streckte die Hände dem Licht entgegen. Er bat, dass alle diese Kraft der Hoffnung – der Hoffnung, die ein neuer Tag Millionen von Menschen auf der Welt bringt – durch seine Finger in ihn eindringen und in seinem Herzen ruhen möge. Er bat darum, immer aufs Neue an die neue Welt, an die Engel, an die offenen Pforten des Paradieses glauben zu können. Er bat seinen Engel und die Jungfrau Maria um ihren Schutz – für ihn und alle, die er liebte, und für seine Arbeit.

Der Schmetterling kam und ließ sich, wie auf ein geheimes Zeichen des Engels hin, auf seiner linken Hand nieder. Paulo rührte sich nicht, denn dies war ein weiteres Wunder. Sein Engel hatte geantwortet.

Er spürte in diesem Augenblick, wie das Universum stillstand: die Sonne, der Schmetterling, die Wüste vor ihm.

Und im nächsten Augenblick ging eine Erschütterung durch die Luft um ihn herum. Es war kein Wind. Luft wurde wegbewegt – genauso, wie wenn ein Bus mit hoher Geschwindigkeit einen Wagen überholt.

Ein Schauer höchster Angst lief ihm über den Rücken.

Jemand war dort.

›Dreh dich nicht um!‹, hörte er wieder die Stimme.

Sein Herz klopfte heftig, und ihm wurde schwindlig. Er wusste, dies war Angst, schreckliche Angst. Er stand reglos da, die Hände nach vorn ausgestreckt, auf einer saß der Schmetterling.

›Ich werde vor Angst ohnmächtig werden‹, dachte er.

›Werde nicht ohnmächtig!‹, sagte die Stimme.

Er versuchte, die Kontrolle über sich zu behalten, aber seine Hände wurden kalt, und er begann zu zittern. Der Schmetterling flog weg, und Paulo senkte die Arme.

›Knie nieder!‹, sagte die Stimme.

Er tat, was die Stimme in seinem Kopf ihm befahl. Er strich den Sand vor sich glatt. Sein Herz schlug immer noch heftig, und er fühlte sich immer schwindliger, dachte, er würde einen Herzanfall bekommen.

›Schau zu Boden!‹

Ein ungeheures Licht, fast so stark wie die Morgensonne, erstrahlte links von ihm. Er wollte nicht hinsehen, wollte nur, dass dies alles schnell vorüberging. Für den Bruchteil einer Sekunde erinnerte er sich an seine Kindheit, als man ihm davon erzählte, wie die Heilige Jungfrau Maria den Kindern erschienen war. Er hatte damals nächtelang wach gelegen und zu Gott gebetet, dass er ihm niemals die Jungfrau schicken möge – denn er würde Angst haben. Fürchterliche Angst.

Dieselbe fürchterliche Angst, die er jetzt hatte.

›Schau zu Boden!‹, wiederholte die Stimme.

Er schaute in den Sand, den er gerade glattgestrichen hatte. Und da erschien der goldene Arm, hell wie die Sonne, und begann zu schreiben.

›Dies ist mein Name!‹, sagte die Stimme.

Das angstvolle Schwindelgefühl war immer noch da. Paulos Herz schlug immer schneller.

›Glaube!‹, hörte er die Stimme sagen. ›Die Pforten sind eine Zeitlang offen.‹

Er nahm alle Kraft, die ihm noch geblieben war, zusammen.

»Ich möchte etwas sagen«, sagte er laut. Die Wärme der Sonne schien ihm seine Kraft wiederzugeben.

Er hörte nichts, keine Antwort.

Eine Stunde später, als Chris kam – sie hatte den Hotelbesitzer geweckt und ihn gebeten, sie mit seinem Wagen dorthin zu fahren –, blickte er immer noch auf den Namen, der in den Sand geschrieben stand.

Die beiden schauten Paulo dabei zu, wie er den Mörtel anmischte.

»Was für eine Wasserverschwendung mitten in der Wüste«, lachte Took. Chris bat ihn, sich nicht lustig zu machen, ihr Mann stand noch immer unter dem Eindruck der Vision.

»Ich habe herausgefunden, woher die Worte stammen«, sagte Took. »Der Prophet Jesaja hat sie geschrieben.«

»Warum diese Textstelle?«, fragte Chris.

»Keine Ahnung. Ich werde sie mir merken.«

»Sie erwähnt eine neue Welt«, fuhr sie fort.

»Das mag der Grund sein«, entgegnete Took. »Möglicherweise deshalb.«

Paulo rief sie. Der Mörtel war fertig.

Die drei beteten ein Ave-Maria. Dann stieg Paulo auf den Felsen, brachte den Mörtel aus und stellte das Marienbildnis darauf, das er immer mit sich führte.

»So, nun ist es fertig.«

»Vielleicht nehmen es die Ranger, die hier immer vorbeikommen, wieder weg«, meinte Took. »Sie wachen über die Wüste, als handelte es sich um ein Blumenbeet.«

»Mag sein«, antwortete Paulo. »Aber die Stelle ist markiert. Sie wird für immer einer meiner heiligen Orte sein.«

»Nein«, sagte Took. »Heilige Orte sind individuelle Plätze. Hier wurde ein Text diktiert. Ein Text, den es bereits gab, der von Hoffnung spricht und vergessen worden war.«

Paulo wollte jetzt nicht darüber nachdenken. Er hatte immer noch Angst.

»Hier war die Energie der Weltenseele spürbar«, fuhr Took fort, »und sie wird es für immer bleiben. Dies ist ein Ort der Kraft.«

Sie rollten die Plastikplane, auf der Paulo den Mörtel angemischt hatte, zusammen, steckten sie in den Kofferraum des Wagens und brachten Took zu seinem alten Wohnwagen.

»Paulo!«, sagte er, als sie bereits beim Weggehen waren. »Mein Vater hat mich irgendwann einmal ein altes Sprichwort der ›Tradition‹ gelehrt. Ich finde, du solltest es kennen:

Wen Gott verrückt machen will, dem erfüllt er alle Wünsche.

»Mag sein«, entgegnete Paulo. »Aber das Risiko hat sich gelohnt.«

Epilog

Anderthalb Jahre nach der Erscheinung des Engels fand ich in meiner Post einen Brief aus Los Angeles. Er stammte von einer brasilianischen Leserin, Rita de Freitas, die mich zum *Alchimisten* beglückwünschte.

Ich antwortete ihr spontan und bat sie, zum Glorieta Canyon in der Nähe von Borrego Springs zu fahren und nachzuschauen, ob es die Statue der Heiligen Jungfrau der Erscheinung noch gab, die ich dort aufgestellt hatte.

Nachdem ich den Brief aufgegeben hatte, dachte ich: ›So ein Unsinn. Diese Frau hat mich nie gesehen, sie ist nur eine Leserin, die mir ein paar nette Worte geschrieben hat, aber sie wird niemals tun, worum ich sie gebeten habe. Sie wird keine sechsstündige Autofahrt bis in die Wüste machen, nur um nachzusehen, ob dort noch eine kleine Statue steht.‹

Kurz vor Weihnachten 1989 erhielt ich einen Brief von Rita, aus dem ich im Folgenden ein paar Ausschnitte zitiere:

»Es sind ein paar großartige ›Zufälle‹ zusammengekommen. Ich hatte wegen Thanksgiving eine Woche Urlaub. Mein Freund (Andrea, ein italienischer Musiker) und ich hatten vor, dieses Mal ganz woanders hinzufahren.

Da kam Ihr Brief! Und der Ort, von dem Sie schrieben, liegt ausgerechnet in der Nähe eines Indianerreservats, in das wir vorhatten zu fahren.

[...]

Am dritten Tag haben wir nach dem Glorieta Canyon gesucht und ihn gefunden. Es war an Thanksgiving. Wir sind ganz langsam gefahren, konnten aber keine Statue sehen. Am Ende des Canyons haben wir gehalten, sind ausgestiegen und den Berg ziemlich weit hochgeklettert. Dabei fanden wir nur die Fußspuren von Koyoten.

Da kamen wir zum Schluss, dass es die Statue nicht mehr gab.

[...]

Auf dem Rückweg zum Wagen sahen wir auf den Felsen ein paar Blumen. Wir blieben stehen und sahen dann ein paar kleine brennende Kerzen, einen Schmetterling aus Goldstoff und einen umgefallenen Strohkorb. Wir kamen zu dem Schluss, dass dort die Heilige gestanden haben musste.

Ich war mir allerdings fast sicher, dass nichts davon dort gewesen war, als wir das erste Mal dort vorbeigekommen waren. Wir machten ein Foto – das ich beilege – und gingen weiter.

Als wir fast am Ende des Canyons angelangt waren, sahen wir plötzlich eine ganz in Weiß gekleidete Frau in einem arabischen Gewand, mit einem Turban, einer langen Tunika. Sie ging die Straße entlang. Aber das war sehr seltsam – wie kam diese Frau mitten in die Wüste?

Und ich überlegte, ob diese Frau die Blumen dorthin gelegt und die Kerzen angezündet hatte. Ich sah keinen Wagen und fragte mich: Wie ist sie dorthin gekommen?

Aber ich war so überrascht, dass ich mich nicht traute, sie anzusprechen.«

Ich schaute mir das Foto an, das mir Rita geschickt hatte: Es war genau die Stelle, an der ich die Heilige aufgestellt hatte.

Es war Thanksgiving Day. Und ich bin sicher, dass dort Engel unterwegs waren.

Ich habe dieses Buch vom Januar/Februar 1992 kurz nach dem Ende des Dritten Weltkrieges geschrieben, des Kalten Krieges, dessen Kämpfe sehr viel raffinierter waren als die mit konventionellen Waffen. Der Tradition gemäß begann dieser Krieg vor fünfzig Jahren mit der Blockade von Berlin und endete mit dem Mauerfall. Die Sieger teilten das besiegte Reich auf wie in einem konventionellen Krieg. Nur den nuklearen Holocaust hat es nicht gegeben – und es wird ihn nie geben, denn das Werk Gottes ist zu groß, als dass der Mensch es zerstören kann.

Jetzt wird der Tradition zufolge ein neuer Krieg beginnen. Ein noch raffinierterer Krieg, der alle treffen wird – denn durch seine Schlachten wird das Wachstum des Menschen abgeschlossen. Wir werden zwei Heere sehen – auf der einen Seite diejenigen, die noch an den Menschen und an seine okkulten Kräfte glauben und wissen, dass der nächste Schritt das Wachsen der individuellen Gaben sein wird. Auf der anderen Seite werden jene stehen, die die Zukunft leugnen, die glauben, dass das Leben mit der Materie endet – unglücklicherweise –, jene, die, obwohl sie Glauben besitzen, der Meinung sind, den Weg der Erleuchtung bereits gefunden zu haben, und die anderen dazu zwingen wollen, ihn zu gehen.

Deshalb sind die Engel zurück und müssen gehört werden, denn nur sie können uns den Weg zeigen, sonst niemand. Wir können unsere Erfahrungen teilen – so, wie ich in diesem Buch versucht habe, meine mit den Lesern zu teilen –, aber es gibt für dieses Wachstum kein Patentrezept. Gott hat uns großzügig seine Weisheit und seine Liebe zur Verfügung gestellt, und es ist einfach – sehr einfach, sie zu finden. Man muss nur das Channeling zulassen – ein ganz einfaches Verfahren, das allerdings für mich selber schwer zu akzeptieren und zu erkennen war. Da die Schlachten zumeist auf der Astralebene geführt werden, werden unsere Schutzengel das Schwert und den Schild ergreifen und uns vor den Gefahren schützen und zum Sieg führen. Aber auch unsere Verantwortung ist ungeheuer groß: Es ist an uns, in diesem Augenblick der Geschichte unsere eigenen Kräfte zu entwickeln, daran zu glauben, dass das Universum nicht an den Wänden unseres Schlafzimmers endet. Wir müssen die Zeichen akzeptieren, unseren Träumen und unserem Herzen folgen.

Wir sind für alles verantwortlich, was auf dieser Welt geschieht. Wir sind die Krieger des Lichts. Mit der Kraft der Liebe und mit Willenskraft können wir unser eigenes Schicksal und das vieler anderer Menschen verändern.

Der Tag wird kommen, an dem das Problem des Hungers mit dem Wunder der Vervielfachung der Brote gelöst wird. Der Tag wird kommen, an dem die Liebe von allen Herzen akzeptiert und die schrecklichste Erfahrung des Menschen – die Einsamkeit, die schlimmer ist als Hunger – vom Antlitz der Erde verbannt werden wird. Der Tag wird kommen, an dem diejenigen, die an die Tür klopfen, sehen werden, wie sie sich öffnet; an dem denjenigen, die bitten, gegeben wird; an dem diejenigen, die weinen, getröstet werden.

Für den Planeten Erde liegt dieser Tag noch in weiter Ferne. Aber für jeden von uns kann dieser Tag der morgige sein.

Man muss nur etwas ganz Einfaches akzeptieren: die Liebe – die Liebe Gottes und die unseres Nächsten – zeigt uns den Weg. Unsere Mängel, unsere gefährlichen Abgründe, unser unterdrückter Hass, unsere langen Phasen von Schwäche und Verzweiflung sind unwichtig: Wenn wir erst all das korrigieren, um dann erst auf die Suche nach unseren Träumen zu gehen, werden wir das Paradies nie erreichen. Wenn wir aber alles, was an uns nicht gut ist, akzeptieren und dennoch finden, dass wir ein frohes, glückliches Leben verdient haben, öffnen wir ein riesiges Fenster, durch das die Liebe hereinströmen kann. Ganz allmählich werden unsere Mängel von ganz allein verschwinden, denn wer glücklich ist, kann die Welt mit den Augen der Liebe sehen – diese Kraft regeneriert alles, was im Universum existiert.

Im Buch *Die Brüder Karamasow* erzählt uns Dostojewskij die Geschichte des Großinquisitors, die ich hier mit eigenen Worten wiedergebe:

Während der religiösen Verfolgungen in Sevilla, als alle, die nicht mit der Kirche übereinstimmen, gefangen genommen und bei lebendigem Leibe verbrannt werden, kommt Christus auf die Erde zurück und mischt sich unter das Volk. Der Großinquisitor bemerkt Jesu Gegenwart und lässt ihn festnehmen.

Nachts besucht er Jesus in seiner Zelle und fragt ihn, warum er gerade in diesem Augenblick zurückgekommen sei. »Du störst uns«, sagt der Großinquisitor. »Deine Ideen waren sehr schön, aber wir sind es, die sie in die Praxis umsetzen.« Er sagt Christus, dass die Inquisition zwar in der Zukunft streng verurteilt werden würde, aber notwendig sei und ihre Rolle erfülle. Es bringe nichts, über Frieden zu sprechen, wenn im Herzen der Menschen Krieg herrscht; auch nicht von einer besseren Welt zu reden, wo es so viel Hass und so viel Armut im Herzen der Menschen gibt. Es bringe nichts, sich im Namen der Menschheit aufzuopfern, weil der Mensch noch unter seinen Schuldgefühlen leidet. »Du hast gesagt, alle Menschen seien gleich, trügen das göttliche Licht in sich, aber du hast vergessen, dass die Menschen unsicher sind und jemanden brauchen, der sie leitet«, sagt der Großinquisitor und führt dann noch eine ganze Reihe brillanter Argumente ins Feld.

Als er endet, herrscht lange Zeit Stille in der Zelle. Dann tritt Jesus zum Großinquisitor und küsst ihn auf die Wange.

»Du magst recht haben«, sagt Jesus. »Aber meine Liebe ist stärker.«

Wir sind nicht allein. Die Welt verändert sich, und wir sind Teil dieser Veränderung. Die Engel führen und beschützen uns. Trotz aller Ungerechtigkeit, obwohl Dinge mit uns geschehen, die wir nicht verdient haben, obwohl wir uns unfähig fühlen, unsere eigenen Mängel und die der Welt zu beheben, trotz aller brillanten Argumente des Großinquisitors – die Liebe ist noch stärker und wird uns helfen zu wachsen.

Und erst dann werden wir imstande sein, die Sterne, die Engel und die Wunder zu begreifen.

Das Diogenes Hörbuch zum Buch

Paulo Coelho
Schutzengel

Ungekürzt gelesen von Sven Görtz

4 CD, Spieldauer 305 Min.

Paulo Coelho im Diogenes Verlag

Der Alchimist

Roman. Aus dem Brasilianischen
von Cordula Swoboda Herzog

Santiago, ein andalusischer Hirte, hat einen wiederkehrenden Traum: Am Fuß der Pyramiden liege ein Schatz für ihn bereit. Soll er das Vertraute für möglichen Reichtum aufgeben? War er nicht zufrieden mit seiner bescheidenen Existenz? Santiago ist mutig genug, seinen Traum nicht einfach beiseite zu wischen. Er wagt sich hinaus und begibt sich auf eine Reise, die ihn nicht nur von den Souks in Tanger über Palmen und Oasen bis nach Ägypten führt, er findet in der Stille der Wüste auch immer mehr zu sich selbst und erkennt, was das Leben für Schätze bereithält, die nicht einmal mit Gold aufzuwiegen sind.

»Ein Märchen mit orientalisch-südländischem Charme, einfach und bezwingend in der Sprache, ein Seelenbalsam in unsicheren Zeiten. Hoffnungsvoller könnte ein Buch nicht sein.« *Focus, München*

Auch als Diogenes Hörbuch erschienen,
gelesen von Christian Brückner

Am Ufer des Rio Piedra saß ich und weinte

Roman. Deutsch von
Maralde Meyer-Minnemann

Sie waren Jugendfreunde, ehe sie sich aus den Augen verloren. Elf Jahre später treffen sie sich in Madrid bei einem Vortrag wieder: sie, eine angehende Richterin, die das Leben gelehrt hat, stark und vernünftig zu sein und sich nicht von Gefühlen mitreißen zu lassen; er, Weltenbummler und sehr undogmatischer Seminarist, der vor seiner Ordination Pilar noch einmal wiedersehen will. Beide verbindet ihr Drang, aus ihrem sicheren Leben auszubrechen und ihre Träume zu wagen.

»Eine Fabel grenzenloser Innerlichkeit, voller Beobachtungen und Reflexionen, Träume und Visionen, mit denen Coelho Mut machen will, auf die eigene innere Stimme zu hören.« *Südkurier, Konstanz*

Auch als Diogenes Hörbuch erschienen,
gelesen von Ursula Illert

Der Fünfte Berg

Roman. Deutsch von
Maralde Meyer-Minnemann

Paulo Coelho erzählt in einfacher, moderner Sprache die Geschichte des Propheten Elia, die wir alle kennen, ›so wie wir sie nicht kennen‹: Sein Roman *Der Fünfte Berg* versetzt uns zurück ins Jahr 870 v. Chr., als Gott Elia befahl, Israel zu verlassen und ins Exil zu gehen. Ausgehend von einer kurzen Bibelstelle erzählt Paulo Coelho die Geschichte des jungen Rebellen und Propheten wider Willen.

»Paulo Coelho gelingt es in diesem Buch, uns ein Stück biblischer Geschichte nahezubringen, ohne uns bekehren zu wollen. Er regt uns an zum Nachdenken, über uns selbst, über die Zeit, in der wir leben, über die Vergangenheit und ihre Bedeutung für die Gegenwart.« *Bernd Graul/Radio Bremen*

Veronika beschließt zu sterben

Roman. Deutsch von
Maralde Meyer-Minnemann

Die Geschichte einer unglücklichen jungen Frau, die sterben will und erst angesichts des Todes entdeckt, wie schön das Leben sein kann, wenn man darum kämpft und etwas riskiert. Ein wunderbares Buch über die Prise ›Verrücktheit‹, die es braucht, um den eigenen Lebenstraum Wirklichkeit werden zu lassen, und eine große Liebeserklärung an das Glück in jedem von uns.

»Mir gefällt Paulo Coelhos Roman *Veronika beschließt zu sterben* am besten. Er hat mich wirklich tief berührt.« *Umberto Eco/Focus, München*

Auch als Diogenes Hörbuch erschienen,
gelesen von Ursula Illert

Der Dämon und Fräulein Prym

Roman. Deutsch von
Maralde Meyer-Minnemann

Ein Ort in den Pyrenäen, gespalten von Habgier, Feigheit und Angst. Ein Mann, der von den Dämonen seiner schmerzvollen Vergangenheit nicht loskommt. Eine junge Frau auf der Suche nach ihrem Glück. Sieben Tage, in denen das Gute und das Böse sich einen erbitterten Kampf liefern und in denen jeder für sich entscheiden muß, ob er bereit ist, für seinen Lebenstraum etwas zu riskieren und sich zu ändern.

»Ein Buch voller kleiner Lebensweisheiten, wunderbar leicht und klar erzählt. Eine Geschichte auch, die von den Mythen vergangener Tage lebt, von übersinnlichen und magischen Kräften. Schön ist dieser Roman zu lesen.«
Silke Arning/Südwestdeutscher Rundfunk, Stuttgart

Auch als Diogenes Hörbuch erschienen,
gelesen von Markus Hoffmann

Elf Minuten

Roman. Deutsch von
Maralde Meyer-Minnemann

Wie berührt man die Seele? Durch Liebe oder durch Lust? Kann man die Seele wie einen Körper berühren und umgekehrt? Ein provozierendes modernes Märchen über die Alchimie der Liebe.

»Wie im *Alchimisten* ist sich Coelho auch in *Elf Minuten* treu geblieben – als Meister der gleichnishaften Erzählung über eine Reise, an deren Ziel die spirituelle Selbstfindung steht.«
Christian Korff/Focus, München

Auch als Diogenes Hörbuch erschienen, gelesen von Nadja Schulz-Berlinghoff und Markus Hoffmann

Der Zahir

Roman. Deutsch von
Maralde Meyer-Minnemann

Der Zahir ist die Geschichte einer Suche. Sie handelt von der Beziehung zweier Menschen, die im gleichen Abstand wie Eisenbahnschienen nebeneinanderher leben und einander verlieren. Eine gleichnishafte Erzählung über eine innere und äußere Reise, an deren Ziel jeder sich selbst findet – und vielleicht auch wieder die Liebe.

»Paulo Coelhos Meisterstück. Ein literarisches Großereignis. Die parabelhafte Geschichte führt Coelhos Lebensthemen zu einem (vorläufigen) Höhepunkt: Sinnfindung durch Selbstfindung. Liebe, Verlust, Verfallenheit, Tod. Ein faszinierender Wegweiser durch das Leben und die Liebe.«
Dagmar Kaindl/News, Wien

Auch als Diogenes Hörbuch erschienen,
gelesen von Christian Brückner

Die Hexe von Portobello

Roman. Deutsch von Maralde Meyer-Minnemann

Was macht eine Hexe heute aus? Für Paulo Coelho ist sie eine Grenzgängerin zwischen den Welten, mit seherischen und heilenden Fähigkeiten.
Die Heldin des Romans ist eine rumänische Zigeunerin aus Hermannstadt, die als Kind von libanesischen Christen adoptiert wurde. Jetzt wohnt sie in London

und führt dort das Leben einer modernen, erfolgreichen jungen Frau. Durch das Tanzen entdeckt sie plötzlich übernatürliche Kräfte in sich, die sie zutiefst verstören. Und nicht nur sie. Unerschrocken folgt sie jedoch ihrer Bestimmung und lernt, ihr Potential zu nutzen.

»Es klingt wie Musik, so wie Paulo Coelho schreibt, so schön ist das. Eine Gabe, um die ich ihn beneide.«
Julia Roberts

Auch als Diogenes Hörbuch erschienen,
gelesen von Gert Heidenreich

Brida

Roman. Deutsch von
Maralde Meyer-Minnemann

Dies ist die Geschichte von Brida, einer schönen jungen Irin. Auf der Suche nach ihrer Bestimmung begegnen ihr ein weiser Mann, der ihr beibringt, ihre Ängste zu überwinden, und eine reife Frau, die sie lehrt, die Geheimnisse der Welt zu entdecken und sich darauf einzulassen – mit allen fünf Sinnen. Beide erkennen Bridas besondere Gabe, aber lassen sie ihren eigenen Weg finden. Doch Brida muß sich entscheiden, denn ihre Lehrer stehen für zwei verschiedene Wege. Und auch in der Liebe steht eine Entscheidung an: Soll Brida an ihrem Geliebten, dem hübschen jungen Physiker Lorens, festhalten oder der Anziehung ihres weisen Lehrers nachgeben, der ihre Seele so berührt wie Lorens ihren Körper?

»Offenbar besitzt Coelho das besondere Talent, jeden Menschen anzusprechen. Er ist ein einfühlsamer Lehrer. Dies führte zur erstaunlichen Anziehungskraft von Paulo Coelho…«
Dana Goodyear / The New Yorker

Auch als Diogenes Hörbuch erschienen,
gelesen von Sven Görtz

Der Sieger bleibt allein

Roman. Deutsch von
Maralde Meyer-Minnemann

In diesem Roman entführt uns Paulo Coelho ans Filmfestival nach Cannes, einen modernen Jahrmarkt der Eitelkeiten, auf dem sich die sogenannte Superklasse tummelt. Wer bei diesem Treffen der Traumfabrikanten aus Mode und Film den roten Teppich betritt, gehört zu denen, die es geschafft haben. Einige stehen sogar ganz oben und fürchten nur eines: diese Stellung wieder zu verlieren. Es geht um nichts Geringeres als Geld, Macht und Berühmtsein – Werte, für die heute die meisten alles zu tun bereit sind. Aber der Preis ist hoch.
Auf diesem Jahrmarkt der Eitelkeiten treffen sich Igor, ein russischer Millionär; der Modezar Hamid aus dem Nahen Osten; die amerikanische Schauspielerin Gabriella, die endlich eine Hauptrolle ergattern will; der ehrgeizige Polizist Savoy, der glaubt, den Mordfall seines Lebens lösen zu können, und Yasmin, die kurz vor dem Durchbruch als Model steht. Wer schafft es, hinter all den vorgegaukelten Träumen seinen eigenen Lebenstraum zu entdecken und zu leben?

»Ein schonungsloses Porträt der Glamourwelt und der oberen Zehntausend... In *Der Sieger bleibt allein* wird nicht nur nach einem gefährlichen Mörder gesucht, sondern nach echten Werten.«
Publisher's Weekly, New York

»Ein apokalyptisches Bild der Film- und Modewelt, in der Glamour und Ehrgeiz alle wahren Werte verdrängt haben.« *L'Hebdo magazine, Lausanne*

Auch als Diogenes Hörbuch erschienen,
gelesen von Sven Görtz